Corpo, escuta e escrita

CIP-BRASIL. CATALOGAÇÃO NA PUBLICAÇÃO
SINDICATO NACIONAL DOS EDITORES DE LIVROS, RJ

O72c

Oraggio, Liliane
  Corpo, escuta e escrita : pistas para ativar múltiplas linguagens em saúde / Liliane Oraggio. - 1. ed. - São Paulo : Summus, 2024.
  200 p. ; 24 cm.

  Apêndice
  Inclui bibliografia
  ISBN 978-65-5549-133-3

  1. Linguagem corporal. 2. Pessoal da área médica e pacientes. 3. Pessoal da área médica - Atitudes. 4. Comunicação - Aspectos psicológicos. I. Título.

23-87339
CDD: 610.696
CDU: 614.253

Meri Gleice Rodrigues de Souza - Bibliotecária - CRB-7/6439

www.summus.com.br

Compre em lugar de fotocopiar.
Cada real que você dá por um livro recompensa seus autores
e os convida a produzir mais sobre o tema;
incentiva seus editores a encomendar, traduzir e publicar
outras obras sobre o assunto;
e paga aos livreiros por estocar e levar até você livros
para a sua informação e o seu entretenimento.
Cada real que você dá pela fotocópia não autorizada de um livro
financia o crime
e ajuda a matar a produção intelectual de seu país.

Corpo, escuta e escrita

Pistas para ativar múltiplas linguagens em saúde

Liliane Oraggio

summus editorial

CORPO, ESCUTA E ESCRITA
Pistas para ativar múltiplas linguagens em saúde
Copyright © 2024 by Liliane Oraggio
Direitos desta edição reservados por Summus Editorial Ltda.

Editora executiva: **Soraia Bini Cury**
Preparação de texto: **Cacilda Guerra**
Revisão: **Mariana Marcoantonio**
Capa: **Alberto Mateus**
Projeto gráfico e diagramação: **Crayon Editorial**

Este livro foi baseado na dissertação de mestrado *Escuta e escrita para profissionais de saúde — Uma experiência corporal na interface entre saúde e comunicação*, apresentada ao Programa de Pós-Graduação Interdisciplinar em Ciências da Saúde, Universidade Federal de São Paulo (Unifesp), campus Baixada Santista, em 23 de julho de 2021, com a aprovação do Comitê de Ética e Pesquisa (CAEE: 11133019.0.00005505). Orientadora: profa. dra. Flavia Liberman.

Summus Editorial
Departamento editorial
Rua Itapicuru, 613 – 7º andar
05006-000 – São Paulo – SP
Fone: (11) 3872-3322
e-mail: summus@summus.com.br

Atendimento ao consumidor
Summus Editorial
Fone: (11) 3865-9890

Vendas por atacado
Fone: (11) 3873-8638
e-mail: vendas@summus.com.br

Impresso no Brasil

Sumário

7 _ Prefácio

11 _ Introdução

31 _ Chegando pela escuta

55 _ [In]fluxo: corpo

91 _ Escrever escrevendo o corpo

119 _ Formando quem cuida de cuidar

135 _ O avesso da tapeçaria

163 _ Para inspirar a criação de oficinas

187 _ Referências

191 _ Anexo — Questionário de avaliação

Prefácio

Neste livro, Liliane Oraggio nos presenteia com sua pesquisa passo a passo. Com sua bagagem sólida em terapias corporais, na escuta clínica de base fenomenológica e na linguagem escrita, a autora se arrisca na experimentação, sem um roteiro preestabelecido. Cria um protocolo que inclui o inesperado: aquilo que é vivenciado e percebido pelos participantes — a partir de suas propostas de sensibilização corporal e percepção de si e do grupo — modifica o rumo de seus procedimentos.

Como leitores, mergulhamos com a autora e condutora do processo, ansiosos para entender como a sequência de ações se desenrolará. Por vezes, nos identificamos com os relatos de cada participante; em outros momentos, nos colocamos em seu lugar, já que a autora se envolve de corpo e alma como elemento sensível da experiência que propõe.

Liliane nos conduz ao cuidado. Cuidar mesmo antes de adoecer. Nesse sentido, sua proposta tem caráter preventivo. Ou, ainda, cuidar depois que a situação de adoecimento ocorre — o que, a meu ver, alcança a função terapêutica. Seus instrumentos de transformação são o corpo e a palavra. A sensibilização corporal ocorre com base no método dos cinco passos do terapeuta norte-americano Stanley Keleman, criador da psicologia formativa e autor de *Anatomia emocional* (Summus, 1992), obra que norteia a atual pesquisa.

A sensibilização da palavra ocorre a partir da leitura de textos literários e da discussão de trechos de filmes, que dão subsídio para diálogos e novas formas de comunicação. As experiências corporais são vividas subjetivamente por cada participante, que encontra a possibilidade de se expressar de diversas maneiras ao longo dos encontros: por meio de práticas de comunicação não verbal, narrativas orais, depoimentos pessoais, leituras, até chegar às palavras escritas, aos cadernos de anotações e aos desenhos, que criam uma cartografia do processo. Entendemos, assim, que a autora conecta o cuidado à necessidade de autoconhecimento e expressão, criando uma metodologia própria: corpo, escuta e escrita.

Para aplicar seu método, proposto na interface entre saúde e comunicação durante o mestrado interdisciplinar em Ciências da Saúde, Liliane escolheu um grupo de profissionais da área, seus colegas de pós-graduação da Universidade Federal de São Paulo (Unifesp), campus Baixada Santista, incluindo psicólogos, enfermeiros, terapeutas ocupacionais, assistentes sociais e farmacêuticos. Ao selecionar esse grupo de cuidadores, profissionais de saúde, sua intenção foi "cuidar de quem cuida", mas acredito que o modelo criado por ela pode ser aplicado a inúmeros outros contextos educacionais e profissões. Essa pesquisa, que surge no meio acadêmico, aborda temas de extrema importância: a saúde mental e física no trabalho, especialmente a daqueles que cuidam dos outros. As estatísticas demonstram como adoecemos física e psicologicamente no ambiente de trabalho. Trata-se de um assunto urgente nos dias atuais. Como enfrentar esse desafio?

O presente livro dá elementos para refletir sobre o tema e encontrar saídas não idealizadas para transformar essa realidade. Nós, seres humanos, aprendemos de duas formas: por meio da experiência prática, pessoal e subjetiva e por meio dos conhecimentos recebidos e transmitidos, sistematizados e descritos. Chamamos essas duas formas de aprendizado implícito e explícito, respectivamente.

No aprendizado implícito, aprendemos fazendo. É o caminhar para o bebê, o andar de bicicleta para a criança, o beijar pela primeira vez para o adolescente apaixonado, o aprimorar a própria profissão para o adulto ao longo de sua carreira. Nessa forma de aprendizado, a experiência corporal é central. Aprendemos com o corpo através da ação, dos sentidos,

dos movimentos; aprendemos com os erros e acertos vivenciados na prática, na pele, nos músculos, nos ossos. Guardamos memórias corporais dessas experiências.

Já o aprendizado explícito, igualmente importante, é aquele que pode ser descrito, explicado, codificado, organizado em palavras, regras, leis e postulados. Presente ao longo de nossa vida acadêmica, essa forma de aprendizado abre espaço para o entendimento racional — o raciocínio, a reflexão e o juízo de valores, habilidades características de nossa espécie. Para Liliane Oraggio, essas duas formas de aprendizado caminham juntas, e o "adoecimento" ocorre pela dissociação entre elas.

Em outras palavras, a recuperação da saúde, especialmente a dos profissionais da área de saúde, se dá pela integração do corpo e da mente. Como afirma a psicologia formativa, a mente está no corpo, e Liliane nos conduz por essa experiência de integração com maestria e sua escuta e escrita, fluidas e claras.

ANDRÉ TRINDADE
Psicólogo, psicomotricista, autor de *Gestos de cuidado, gestos de amor*
e *Mapas do corpo* (ambos publicados pela Summus)

Introdução

> *Às vezes, eu temo a escrita,*
> *A escrita me leva para dentro do medo*
> *Porque não escapo das muitas construções coloniais.*
> *Nesse mundo, me vejo como um corpo que*
> *não pode produzir conhecimento.*
> *Como um corpo "fora" do lugar.*
> *Eu sei que, enquanto eu escrevo,*
> *Cada palavra que escolho será examinada*
> *e talvez até mesmo invalidada.*
> *Então, por que eu escrevo?*
> *Porque eu tenho que escrever.*
>
> **Grada Kilomba**, *While I write*

Sementes no caos

Escrever sobre o escrever. Um intenso exercício de metalinguagem: palavra do vocabulário da linguística que designa o uso de uma linguagem para falar de linguagem, um código usado para falar sobre o próprio código. Esse é o foco infinito deste livro, que pretende ser uma possibilidade de companhia no ato de transpor o que se vê e se sente para o papel e para o futuro. Ele nasce para facilitar processos de escrita de profissionais das várias áreas de saúde, que são desafiados a produzir textos para prontuários, palestras, teses, dissertações, artigos, folders para a divulgação de seus trabalhos. Porém, o alcance é maior. Seja qual for a atuação, a proposta aqui é produzir um texto vivo, uma secreção escrita produzida pelo corpo inteiro implicado na presença diante de um outro ou de um grupo de humanos.

    Além de chaves e inspirações para a produção de escuta e textos sensíveis, vamos descrever os movimentos circulares e inacabados de uma pesquisa-intervenção, em que o método cartográfico norteia os acontecimentos em movimento contínuo, em fluxo. Vamos falar da pesquisa na própria ação de pesquisar, falar da escrita — e suas múltiplas camadas — escrevendo. O propósito é transformar o vivido no *laboratório-vivo* de produção de conhecimento em documento, para que continue a pulsar e para que possa fazer ressoar toda a vitalidade envolvida nesta pesquisa-intervenção — isto é, uma pesquisa que exige "um mergulho no plano da experiência, lá onde conhecer e fazer se tornam inseparáveis, impedindo qualquer pretensão à neutralidade ou mesmo suposição de um sujeito e de um objeto cognoscentes prévios à relação que os liga" (Passos e Barros, 2009, p. 30).

O campo de produção desta pesquisa teve a forma de um ciclo de dez encontros presenciais, batizados de "Oficinas Corpo, Escuta e Escrita — Experimentos Textuais Formativos", realizados ao longo do segundo semestre de 2019 — em plena consolidação do governo antidemocrático, que sacudiu todo esse período com fatos estarrecedores, agravados pelo inédito acontecimento mundial da pandemia de covid-19. O desmonte nos campos da saúde, da educação, das universidades, o descaso com o conhecimento científico na gestão da emergência sanitária e o completo desamparo social foram intensificados. A realidade em que mergulhamos resultou em muitos abalos que reverberaram em mim. Este texto começa a ser escrito no septuagésimo dia de isolamento social, em meados de maio de 2020.

As oficinas-encontros foram realizadas quinzenalmente. Começaram reunindo um grupo de 28 profissionais de saúde, a maioria deles vinculada a serviços de saúde pública no município de Santos (SP), todos envolvidos com projetos de escrita de mestrado acadêmico ou profissional. Inicialmente, eram 24 mulheres e quatro homens, confirmando a preponderância da presença feminina nas várias frentes da saúde — ao final, eram três homens e 15 mulheres.

A cada encontro, repetidas vezes, os participantes falavam do cansaço, da tristeza e da indignação, sentimentos que, intensificados, deram origem a grandes questões: há sentido em continuar produzindo conhecimento? Será que a universidade federal sobreviverá para que possamos concluir nossos trabalhos de mestrado e doutorado? Qual é o propósito dessas produções de pós-graduação, sejam elas na modalidade acadêmica ou profissional? Essas interrogações, tão intensas, acabaram por cunhar um sentido de micropolítica de resistência a cada encontro — que, talvez, em outro período menos exigente, não se apresentasse. O turbulento momento de "ficar em casa" serviu de balão de ensaio para a vitalidade deste trabalho. Foi nessa reclusão que pôde vir à luz o que realmente importa a esta pesquisa acadêmica. Em mínimas palavras: manter a vida.

Então, questionamentos surgiram:

- Como manter vivos os temas que afloraram para além das questões clínicas e da linguagem?
- Do que necessita o corpo do profissional de saúde? Onde dói? Como lidar com a insalubridade nas múltiplas funções?
- Como manter viva a qualidade dos experimentos, criando uma metodologia que possa ser replicada sem virar cópia?
- Como manter viva a produção feita no calor do encontro?

Quando o campo de produção da pesquisa é em si um encontro de singularidades, uma oficina, um processo inserido em um intenso momento do processo histórico, sobrevém o propósito de manter pulsante a experiência em uma investigação que, para além dos limites teóricos, documente também processos individuais e de grupo, estando em sintonia ao evidenciar as múltiplas linguagens e demonstrar como os conceitos, a prática corporal e a prática escrita podem ser amalgamados para produzir conhecimento em múltiplas camadas.

O método cartográfico, que em sua orientação permite a coexistência de linguagens, foi escolhido como norteador e capaz de dar corpo ao trabalho de uma pesquisa-intervenção acadêmica, enfatizando-a sem perder a possibilidade de incluir todas as camadas do processo, inclusive a da história social.

> Para os geógrafos, cartografia — diferentemente do mapa: representação de um todo estático — é um desenho que acompanha e se faz ao mesmo tempo que os movimentos de transformação da paisagem. Paisagens psicossociais também são cartografáveis. [...] Sendo tarefa do cartógrafo dar língua para afetos que pedem passagem, dele se espera basicamente que seja mergulhado nas intensidades de seu tempo e que, atento às linguagens que encontra, devore as que lhe parecem elementos possíveis para a composição das cartografias que se fazem necessárias. O cartógrafo é antes de tudo um antropófago. (Rolnik, 2011, p. 23)

Esta pesquisa-intervenção acontece na interface dos campos da saúde e da comunicação, mas não apenas contemplando essas áreas formais. O processo vai além, levando a investigação a pulsar na interface entre cuidado e expressão como campos da produção humana, com muitas nuances, com ênfase nos conteúdos que enriqueçam as práticas do autocuidado e do cuidar do outro. Em síntese, o objetivo desse processo é desenvolver a sensibilidade de profissionais de saúde, aprimorar as habilidades de linguagem e as formas de expressar por escrito e oralmente as experiências de cuidado, cultivando a qualidade da interação, seja com as equipes multidisciplinares, seja com os pacientes e/ou acompanhados e seus familiares.

Não por acaso, essas áreas se entrecruzam neste estudo, que é fruto de extenso trabalho nas duas frentes: por cerca de três décadas, fui jornalista especializada em comportamento e, há 14 anos, "migrei" para a área de saúde, atuando como pesquisadora interdependente, terapeuta corporalista e acompanhante terapêutica (de pessoas em recuperação psiquiátrica) na cidade de São Paulo. O desafio de transformar esse trabalho neste livro é, na verdade, mais uma peça de um longo percurso profissional, intelectual e pessoal.

"Quero aprender a escrever assim"

O desejo de reconstituir essa trajetória e multiplicar essa experiência ficou ainda mais forte a partir de uma publicação. Depois de oito anos em atividade clínica, com centenas de anotações dos atendimentos individuais e grupais e outras captações do sofrimento psíquico, transformei esse material no livro *Ouço vozes — Escuta, registro de diálogos e epifanias no acompanhamento terapêutico* (Oraggio, 2017), lançado no XI Congresso Internacional de Acompanhamento Terapêutico, realizado em novembro do mesmo ano na Universidade Federal de São Paulo (Unifesp), campus São Paulo. A obra contou com as apresentações de Maurício Porto, psicanalista e acompanhante terapêutico, referência para muitos profissionais das duas áreas, e Patrícia Mattos, psiquiatra que, desde as supervisões no Ambulatório Longitudinal de Psiquiatria da Unifesp, campus São Paulo, confiou nas narrativas e manejos clínicos por mim propostos no trabalho com pacientes de acompanhamento terapêutico.

O livro foi muito bem recebido, e seu estilo chamou a atenção de alguns leitores, profissionais de saúde que queriam "aprender a escrever assim".

Esses pedidos me impulsionaram a criar conteúdo para dez encontros de aprimoramento, pensando especificamente nos desafios enfrentados por psicólogos, terapeutas ocupacionais, acompanhantes terapêuticos e outros profissionais de várias áreas da saúde que desejam transformar o trabalho clínico em narrativas, para além da formalidade dos prontuários e laudos. Assim nasceu o curso "Ouço Vozes — Grupo de Escuta e Escrita para Profissionais de Saúde".

A primeira edição do curso aconteceu no primeiro semestre de 2018, e a primeira aula em 15 de março. Naquele dia, o país foi sacudido pelos assassinatos da vereadora Marielle Franco e de seu motorista, Anderson Gomes, ocorridos na véspera, no Rio de Janeiro, tornando inevitável vincular a prática da escrita à história social. Os participantes — um mestrando, uma mestra que queria publicar um livro sobre um caso extenso que acompanhara, outra com desejo de reunir em livro crônicas a respeito do acompanhamento terapêutico em dispositivo da saúde coletiva e uma profissional de saúde interessada em detectar bloqueios de escrita — foram introduzidos, ao longo dos dez encontros, a uma série de dinâmicas experimentais. Em síntese, trabalhamos a escrita como ação corporal, iniciando cada encontro/aula com uma prática formativa, e em seguida cartografamos a experiência, isto é, colocamos em palavras, anotamos, desenhamos o vivido. Juntos, vivenciamos vários modos de sensibilizar a escuta, a captação, o registro, o compartilhamento dos relatos.

Nesse pequeno grupo, ficou claro que trabalhar a prontidão na produção de textos era crucial: nos últimos 30 minutos de cada aula, os alunos eram desafiados a produzir um texto temático (sobre o banal, uma descrição corporal, um diálogo, a escrita automática). Essa prática foi muito útil para desconstruir a crença de que é preciso estar no lugar ideal e no tempo estendido para que a escrita se produza. Além disso, todos foram introduzidos às etapas do processo de elaboração e edição de uma publicação (conhecimento que vale para livros impressos e digitais). Ao final, em apenas dois meses e meio de ação grupal, havia uma produção substanciosa e criativa, baseada em fatos ocorridos durante as práticas de cuidado, que gerou o *e-book* intitulado *Ins Tantan E Os — Diálogos e epifanias nos percursos da saúde mental* (Oraggio, 2018).

Esse, então, foi o protótipo das "Oficinas Corpo, Escuta e Escrita — Experimentos Textuais Formativos", oferecidas para alunos da pós-graduação em Ciências da Saúde da Unifesp/Campus Baixada Santista, experiência coletiva, campo fértil de discussão e análise. O programa de atividades foi semelhante ao utilizado no contexto do anterior, de curso livre, porém o fato de se realizar dentro da universidade e com esses participantes com necessidades específicas trouxe algumas atualizações e outras questões para o âmbito da pesquisa:

- Como ministrar uma oficina para os pares mantendo a horizontalidade no compartilhamento do conhecimento?
- Sendo eu da capital do estado e mais velha que a maioria dos participantes, como diluir possíveis limites, diminuir ruídos e facilitar o acontecimento coletivo? Muitos dos participantes já partilhavam rotinas de trabalho, se conheciam dos dispositivos de saúde e inclusive eram amigos. Como criar um campo-corpante (Keleman, 1996), isto é, um ambiente confiável em que as pessoas de fato pudessem mergulhar nas várias experimentações?
- Como equalizar os ritmos, as expectativas, sendo eu ao mesmo tempo ministrante e mestranda?

Alguns autores deram o chão para que esse início fosse bem-sucedido e promissor para toda a produção de dados da pesquisa-intervenção. Em primeiro lugar, Italo Calvino (1998) e Roland Barthes (2005), que, respectivamente, nos livros *Seis propostas para o próximo milênio* e *A preparação do romance*, revelaram seus processos de preparação para ciclos de palestras para público estrangeiro na Universidade Harvard e no Collège de France. Guardadas as devidas proporções, essa leitura teve em mim o efeito de autorizar a ampliação do meu território para além do projeto piloto, assumindo uma ação de formação continuada no contexto da educação formal, na universidade.

A escritora portuguesa Grada Kilomba, mulher negra que escolheu a Universidade de Berlim para fazer seu doutorado sobre racismo estrutural, foi uma das minhas referências para considerar as questões acima e também para confiar nesse tecer do conhecimento entre pares. No livro *Memórias da plantação*, ela descreve seu processo com seus pares e conceitua a prática do *study up*:

> Em um *study up*, pesquisadoras/es investigam membros de seu próprio grupo social, ou pessoas de status similares, como forma de retificar a reprodução constante do *statu quo* dentro da produção de conhecimento [...]. Fazer pesquisa entre iguais tem sido fortemente encorajado por feministas, por representar as condições ideais para relações não hierárquicas entre pesquisador/es e informantes, ou seja, onde há experiências compartilhadas, igualdade social e envolvimento com a problemática. [...] Essa atitude de "subjetividade consciente" [...] permite pedir às/aos entrevistadas/os para "qualificar declarações específicas e entrar em detalhes sem induzir reações defensivas por parte delas/es" (Essed, 1991, p. 67). Por conseguinte, não concordo com o ponto de vista tradicional de que o distanciamento emocional, social e político é sempre uma condição favorável para a pesquisa, melhor que o envolvimento mais pessoal. Ser uma pessoa "de dentro" produz uma base rica, valiosa em pesquisas centradas em *sujeitos*. (Kilomba, 2019, p. 83)

Primeiro contato

Em sintonia com esse conceito, a prática proposta no primeiro encontro foi uma apresentação diferente, que criou o elo de confiança necessário para a experiência vincular em que estávamos envolvidos. "Vínculo: um processo cíclico de mover-se para o mundo e voltar para si. Vincular-se envolve uma onda pulsatória que passa por ciclos de expansão e contração [...]" (Keleman, 1996, p. 83). Em vez de recitar a apresentação de si próprio incluindo dados da trajetória pessoal e profissional, cada participante era apresentado por um colega, e desafiado a ouvi-lo sem interromper. Isso evidenciou os vínculos preexistentes entre eles, o que preparou o terreno para a próxima atividade. Em duplas, um contava ao outro a história do próprio nome. A pessoa que escutava seria a responsável por contar ao grupo a história do nome da outra, podendo mesclar dados da realidade e da ficção.

Atendendo à proposta de exercitar a prontidão, foi produzida nas oficinas uma série de textos com foco narrativo nas percepções corporais, nos acontecimentos biográficos relacionados a doenças, nas dores próprias, na escuta das dores do outro e das dores do mundo. Uma das histórias mais tocantes, justamente, relacionava-se ao nome dado à criança nascida em uma situação de isolamento social, provocada então pela tuberculose.

Já estou aqui nesse lugar há meses... Aqui parece uma prisão. Estou presa aqui. Longe de todo mundo. Desde que descobri que tenho tuberculose, só tenho contato com as enfermeiras que passam aqui no meu quarto, de vez em quando. Não consigo fazer amizade com elas por causa da máscara. Não conseguimos conversar. Nem sei como é o rosto delas. Nem posso imaginar. Ontem descobri que estava grávida. Que tem um bebê aqui dentro de mim. Uma criança presa aqui dentro de mim. Não queria que minha filha nascesse nesse lugar frio, solitário, branco, onde tudo é esterilizado, sem vida. Não é um lugar para se ter um bebê. Hoje consegui vislumbrar o nome da enfermeira mais bondosa lendo seu crachá. Num relance. No pouco tempo em que ela esteve aqui, apressada. É um nome diferente, mas muito forte. Vai dar força a essa criança. Quero que ela seja alguém que nunca vai se sentir sozinha, não vai se sentir presa. O nome dela é Zilmara.

O episódio, que, àquela altura, parecia tão distante da nossa realidade, produziu uma discussão sobre os impactos do isolamento social para aquela mãe e para aquela criança, que cresceu sabendo ser seu nome o de uma enfermeira mascarada, uma das únicas pessoas a que a mãe tinha acesso enquanto se tratava da doença respiratória e contagiosa.

Os encontros foram gravados, transcritos e fotografados, sistematizando o conteúdo, que contou com várias linguagens para a construção desta pesquisa-intervenção, experiência viva, presencial. Ainda não sabíamos que a elaboração de cadernos de notas, textos, registros de diálogos e produções orais, gráficas e fotográficas também seria impactada pela chegada da pandemia. Essa nova e dura realidade — com milhares de pessoas morrendo, falta de lugar nas UTIs e nos cemitérios, a sobrevivência das universidades posta em xeque —me impôs, para além dos desafios amplos e naturais da investigação, uma verdadeira luta para construir um corpo escrito para a pesquisa, num momento em que os desmandos políticos e o desgoverno atuavam contra processos construtivos, portanto vivos.

Como não matar a experiência com o uso das palavras?

Um dispositivo simples passou a ser um ponto de apoio fundamental na organização dos dados plurais que surgiram durante as oficinas: criei um diário de campo virtual, usando uma ferramenta de rede social de interação de grupos. Porém, nesse caso, a ferramenta me permitiu organizar de maneira eficiente todo o material da pesquisa, ao qual apenas eu tinha acesso. Dessa maneira, a facilidade de acesso proporcionada pela rede social foi aproveitada para essa função pedagógica. Ali, foram armazenados planos de aula, conteúdos das oficinas, registros dos encontros, *insights*, referências literárias e bibliográficas, vídeos, artigos. A cada simples acesso, o diário de campo virtual serviu como uma verdadeira âncora no vivido, delineando todo o percurso.

Esse dispositivo me ajudou a olhar os fragmentos que compõem as muitas camadas do todo, facilitou cartografar e selecionar o que de mais forte os encontros produziram:

- Será que isto é importante para minha pesquisa? A condição para selecionar o que fará parte de sua pesquisa é a força do encontro gerado. Antes de se perguntar se determinada coisa é ou não importante, o cartógrafo procurará pensar se houve ou não encontro com esta coisa. No caso de haver, ele apostará no registro. No caso de não, ele poderá negligenciá-la. Para o cartógrafo, o grau de importância das coisas não está ligado à importância social, ao que se conveciona *a priori* enquanto importante. A importância é aquilo que se consegue levar/portar a partir de um encontro. Na pragmática de uma cartografia, a importância é antes uma *portância*. (Costa, 2014, p. 73)

- No entanto, ele [o cartógrafo] nunca sabe de antemão os efeitos e itinerários a serem percorridos. Na força dos encontros gerados, nas dobras produzidas na medida em que habita e percorre os territórios, é que sua pesquisa ganha corpo. O corpo, aliás, é uma importante imagem no exercício de uma cartografia, corpo que nos remete ao corpo do pesquisador e ao corpo dos encontros estabelecidos. (Costa, 2014, p. 67)

A dor e a percepção do sofrimento próprio e do outro foram protagonistas de muitos outros textos dos participantes e ganharam novo sentido com minha escuta , ao transcrever as gravações em áudio. No ato de reouvir todos os diálogos, todas as vozes passaram novamente pelo corpo-pesquisador. Essa prática de registro tornou menos fugidios os aspectos mais sensíveis produzidos nos encontros, como este texto escrito por uma das participantes durante a oficina de criação de diálogos:

— *Você tem dor, Clarice?*
— *Às vezes... só quando respiro.*
— *Como assim, Clarice? Se você está viva e respira, quer dizer que você convive com a dor dia e noite, noite e dia? Como é isso, Clarice? Você me parece tão serena...*
— *Serena também. Isso equilibra, equilibra a respiração consciente com o presente. A dor é uma sensação criada, algo que tem um lugar que começa, comunica ao cérebro o incômodo. Sinto onde incomoda e tenho para onde jogar uma dose de atenção, e assim o incômodo se dissolve.*
— *Isso está mais parecendo magia, Clarice.*
— *É mais complexo do que você imagina. Mas para a dor que se vai é preciso haver silêncio, vazio.*

O diálogo acima tem uma particularidade: foi escrito por uma jovem pesquisadora que atravessou uma grave doença pulmonar. Sem contar ao grupo, ela mantinha suas atividades normais na universidade e, no texto, explicitava como dialogava com a própria dor que a impedia de respirar. Seis meses mais tarde, dois meses depois de iniciado o isolamento social, ela faleceu.

Inspirações

Apoiada na minha experiência como jornalista (repórter, editora e redatora-chefe) e ancorada na literatura e no conhecimento de variadas práticas corporais, escolhi os conteúdos para as oficinas com foco no que pode acrescentar novos elementos à formação dos profissionais de saúde. Esse material foi cuidadosamente articulado, priorizando a capacidade de descrever o corpo em ação e colocá-lo em tramas que abarcam a profundidade das relações e da alma humana. Tal como fazem diversos autores, a exemplo de Siri Hustvedt (2009), escritora norte-americana de origem norueguesa que integra grupos de estudos em hospitais de referência para construir seus personagens e, em *A mulher trêmula*, apresenta a própria saga de conviver com um transtorno dissociativo; o médico inglês Oliver Sacks (2006), autor de *Um antropólogo em Marte*, livro que abre novas formas de elaborar relatos de casos; J. B. Pontalis (2012a, 2012b), psicanalista francês que escreve textos curtos sobre seus pacientes, evidenciando a grandeza dos acontecimentos mínimos da clínica em *À margem dos dias* e *À margem das noites*; e o poeta Manuel Bandeira, que, tísico, recebe sua sentença de morte na juventude e continua produzindo poemas sobre seus estados corporais até os 82 anos, quando de fato falece.

Esses autores não necessariamente foram aqui citados, mas estão na urdidura deste texto, aguçando a sensibilidade e trazendo novos elementos para a produção oral e escrita, seja na academia, seja no fazer clínico. Além disso, disparam questões fundamentais no processo de aprimoramento dos profissionais de saúde:

- Como ser fiel aos relatos — e, ao mesmo tempo, assumir que para esse trabalho é preciso palmilhar a fronteira entre ficção e não ficção?
- Como apurar os sentidos para captar o banal e as singularidades das vidas e dos vínculos que criamos no fazer clínico?
- Como perceber o valor dos diálogos literais?
- Como podem a escuta sensível e o ato de escrever nos ajudar a compreender a nós mesmos, o outro e a essência de nossas intervenções?
- Como produzir textos-secreções do que nos assombra e intriga?

2. Como transformar prontuários impessoais em registros da história social, em testemunho de processos vivos, atentando para dados biográficos, singularidades do comportamento e descrições corporais?

Foi na elaboração de todos os acontecimentos do turbulento ano de 2020 que tive ainda mais clareza de quanto o campo da saúde está imbricado com a comunicação, seja entre pares profissionais de saúde, seja na interlocução com os pacientes, ou ainda em relatos clínicos que incluam o contexto sociopolítico vivido, as singularidades das vidas narradas. Escutar, escrever, pensar, sentir melhoram a qualidade do cuidado.

> Na origem latina, a palavra *coera* gera a palavra cuidado, usada nas relações de amor e amizade, porém no contexto profissional o conceito é mais próximo da essência do humano. O cuidado se torna o fenômeno para nossa consciência, se mostra em nossa experiência e molda nossa prática. Nesse sentido não se trata de falar ou pensar *sobre* o cuidado como objeto independente de nós. Mas de pensar e falar a partir do cuidado como é vivido e se estrutura em nós mesmos. Não temos cuidado. Somos cuidado. [...] Sem cuidado deixamos de ser humanos. (Boff, 1999, p. 89)

E onde esse fazer frente à morte começa? Onde essa transformação se inicia? No corpo, na experiência corporal intrínseca ao existir e a toda produção humana, por mais intelectual que seja. Portanto, as "Oficinas Corpo, Escuta e Escrita — Experimentos Textuais Formativos" colocaram foco no escutar, no escrever, no pensar, no cuidar como atividades essencialmente corporais, para as quais é necessário perceber as muitas camadas anatômicas e subjetivas que interagem durante a captação e o registro de um acontecimento ou diálogo clínico.

Com base no processo formativo, criado por Stanley Keleman, a cada encontro realizamos práticas para reconhecer estados corporais que favorecem o aprimoramento da escuta e da escrita em suas diversas modalidades, bem como potencializam a qualidade da presença. A cada encontro foram propostas práticas de pulso, que proporcionam expandir e contrair a superfície corporal voluntariamente. O esforço muscular voluntário (EMV), feito repetida e intencionalmente, é uma prática kelemaniana simples capaz de afetar a estrutura conectiva, estimular sinapses e produzir novos mapas neurais que vão atualizar e produzir novos comportamentos. Esse tipo de estimulação aumenta a capacidade de perceber a si mesmo e de fazer uma conexão mais refinada com tudo, com o outro e com os ambientes em que estamos, influindo positivamente sobre a expressão verbal e escrita.

Vale salientar que foi muitas vezes repetida nesta pesquisa-intervenção a prática do método dos cinco passos, fundamental na visão corporalista do processo formativo, que considera a anatomia viva.

≡ Com a "prática de corpar", o grande segredo da evolução escondido dentro de nós para proteger a vida contra o roubo daquilo que nos permite continuar produzindo diversidade se revela. A atitude nessa prática é meditativa e, ao mesmo tempo, ativa sobre si. Podemos identificar as configurações que nos capturaram (1º passo), reconhecer sua anatomia, seus limites, suas formas e tendências (2º passo). Utilizar então os micromovimentos sobre as superfícies somáticas da forma, para, então, intensificá-las, através de micromovimentos sobre as bordas da forma, em pequenos incrementos (3º passo). Aí, descansamos. Como resposta, emergirão da profundeza formativa do organismo, como um sonho organísmico, esboços de um novo contorno subjetivo. A seguir, repetimos muitas vezes essa operação. Tentaremos solidificar e encarnar essa nova forma, através da definição das paredes corporais e suas subpartes. [...] Vemos como, através dos mencionados micromovimentos das superfícies identificadas e configuradas muscularmente, seremos surpreendidos por novas formas mais atuais, conectivas e eficazes como recombinações e mutações recicladas e revitalizadas de moléculas (4º passo). Finalmente, trataremos de estabilizar as diferenciações e testar sua funcionalidade em novas paisagens de sentidos e conexões (5º passo), estabilizando-as muscularmente e conectando-as ao fluxo do presente. (Favre, 2010)

Os diversos espaços físicos foram fundamentais para a realização dos experimentos, pois abriram muitas possibilidades para cada um se perceber como corpo e perceber o próprio corpo, e também para interagir em grupo, formando um corpo grupal. Tivemos o privilégio de poder realizar as atividades das oficinas tanto no Laboratório de Sensibilidades, espaço amplo (cerca de 30 metros quadrados), adequado para práticas corporais, como em uma sala de aula convencional, local em que produzíamos os textos, estimulados por modificações na luminosidade, e utilizávamos os vários recursos tecnológicos disponíveis para a produção e a reprodução de imagens e sons para exibição do material complementar (vídeos, fotos, áudios).

Durante as dinâmicas corporais, explorando os vários planos do espaço, o grupo experimentou o pulso nas três bolsas (cabeça, peito, abdome), a contração ou expansão do diafragma e da sintonia fina com o pulso, nas posturas deitada, sentada e em pé — experimento fundamental para aprimorar a qualidade da presença e a prontidão.

Exercitando essas práticas nas oficinas propostas, cada participante aprendeu a narrar a si mesmo, priorizando a forma descritiva e não interpretativa de acompanhar processos clínicos, sem metáforas, "rente ao óbvio". Creio que esse conhecimento e o registro preciso dessas experiências são contribuições relevantes, inclusive, para melhorar a comunicação verbal e escrita nas várias ações de cuidado, além de facilitarem a atuação de equipes multidisciplinares formadas por médicos, psicólogos, terapeutas ocupacionais, educadores físicos, nutricionistas, fisioterapeutas e assistentes sociais.

Outros conceitos do processo formativo — cocorpar, somagrama, *embodiment*, microgestos, lentificação, o estudo do reflexo do susto — foram abordados especialmente no encontro destinado a reconhecer e diluir bloqueios de expressão. Nesse sentido, algumas das oficinas também priorizaram o cuidado com as questões mais singulares e íntimas dos participantes, que, em ambiente confiável, puderam falar de si mesmos, foram capazes de sair do lugar habitual de quem cuida para deixar-se ser cuidados. Por exemplo, a farmacêutica, que deixa a rotina sobrecarregada do trabalho em hospitais e na prefeitura, aceita entrar em uma aula para tirar os sapatos, deitar e perceber o contato do corpo com o chão. Nessa posição não produtiva, ela identifica a respiração encurtada, ouve a si mesma e elabora suas necessidades: "Preciso voltar a mexer meu corpo. Estou muito fora do peso e com muita saudade de jogar vôlei, que abandonei para me dedicar mais ao trabalho. A rotina é muito puxada". O relato é feito para os colegas, que também identificam quão raro é quebrar a rotina e parar para perceber as próprias dores, limitações, o excesso de trabalho, o esforço para conciliar trabalho, família, estudos. E, ali, no encontro, conseguem dar espaço para esse conteúdo, que é negligenciado no cotidiano e nos ambientes por onde circulam.

O corpo do profissional de saúde

Não foram poucas as vezes em que os participantes mostraram estar sobrecarregados emocionalmente, porém tendo de seguir em frente. Nas rodas de conversa que se seguiam às práticas corporais que iniciavam nossas manhãs, ficou muito claro quanto é necessário que o corpo dos profissionais de saúde seja denso. Segundo o conceito de anatomia emocional de Stanley Keleman (1992a), as estruturas corpóreas são condicionadas a fatores herdados geneticamente e a ambientes familiares da infância. Define ele: "As estruturas densas vêm de famílias que esmagam a pulsação com promessas e traições, humilhação e dúvida. Elas querem que a criança seja um escravo, que não obtenha sua independência" (p. 168). Isso molda o corpo, encurtando a musculatura e compactando os volumes de cabeça, peito e abdome. Os alongamentos são ideais para restaurar a pulsação e reverter essa compactação, o que torna possível diminuir a pressão interna e melhorar a conexão com o mundo ao redor. Revelou-se aos participantes — extremamente disciplinados, corajosos, capazes de assumir responsabilidades e esforços profissionais para além de suas funções — que sua densidade física era necessária para que suportassem as dores do mundo e, ao mesmo tempo, que imperava a necessidade de que se mantivessem porosos para interessar-se genuinamente pelo outro, sem nunca parar para vivenciar as próprias emoções.

Outras questões essenciais do cuidado:

- Como, então, cuidar desses corpos para torná-los permeáveis à conexão com o outro sem perder a integridade, sem perder a conexão com os próprios limites e necessidades?
- Como essa cisão entre atender ao outro sem prestar atenção em si mesmo pode impactar a qualidade das ações de cuidado?

A pretexto de estar em aula para aprimorar a escrita, os participantes encontraram ali uma oportunidade de conexão com os próprios desejos e necessidades, saindo da condição de "máquina" e se reconectando com os propósitos sensíveis envolvidos nas profissões do campo da saúde.

Pensando que a prática de cuidado, seja ela qual for, "envolve escuta, abertura, espreita, disponibilidade, atenção, certa sensibilidade, tratamento, movimento de proximidade e distanciamento, implicação, confiança, uma multiplicidade de elementos que não se resume à aplicação de técnicas e protocolos" (Deleuze, 2009), esteve em foco todo o tempo a necessidade de ampliar a percepção de si mesmo, do outro e do grupo. Isso gerou diferentes tipos de narrativa, com ênfase na descrição corporal como instrumento de precisão na produção de textos vivos, que transponham a qualidade das experiências.

— Me dói o pé de tanto sustentar o peso do mundo.
— Para e sente.
— E agora?
— Respira. De novo...
— Assim?
— Isso... mas vai devagar... Respira fundo também.
— Mas fundo quanto?
— Fundo até acalmar.
— Acho que tá funcionando...
— Vai fazendo até parar de doer...
— E a dor acalma? O peso um dia cessa?
— Eu não sei, estou aprendendo...
(diálogo criado por uma participante, escrito após a atividade corporal).

Ações e criações coletivas

Em grupo, é possível desconstruir a tal "solidão da escrita" e revigorar a sensibilidade das interlocuções entre profissionais e, em consequência, com as pessoas a quem atendem e as equipes com as quais interagem no cotidiano. Os encontros aproximaram os participantes de um processo criativo, com constantes convites para "brincar" com as palavras, com a voz e com os elementos inusitados que quiseram incluir na narrativa.

Além dos textos escritos e criados em voz alta, com as palavras moldadas no calor e no oco da boca para que se tornassem emissão vocal consciente e conectiva, a pesquisa incluiu a transformação de um vestido estampado com mapas náuticos em suporte para uma criação coletiva, que se desenrolou durante o décimo encontro. Além de ser usada por mim como uniforme em todas as aulas, com a intenção de facilitar a *performance* diante dos pares, como forma de reafirmar um elemento constante no território aberto e imprevisível da pesquisa-intervenção, essa peça de roupa foi despida e disponibilizada, estendida no chão, para receber a intervenção de todos. A proposta era anotar em tiras de tecido as palavras que definiam o ciclo de encontros e fixá-las nos mapas do vestido. O ponto de partida era um alfinete vermelho que marcava a localização da cidade portuária de Santos, local da nossa navegação objetiva e subjetiva. A essa altura do processo, o grupo pôde se entregar a estar no chão, literalmente brincando com canetas, lápis coloridos e alfinetes, tornando-se parte daquele corpo-vestido-obra em que todos podiam se expressar. Como ato de criação da pesquisa, o vestido foi transformado em livro-objeto, incluindo textos de todos os participantes. Os alunos se tornaram AUTORES.

"Dar passagem, fazer passagem, ser passagem" (Costa, 2014, p. 75) parece ser o caminho mais sintonizado com o propósito de manter a vida da pesquisa, a vida do pesquisador, a vida do campo pesquisado, a vida de todos os vivos envolvidos em aprimorar a presença em todos os ambientes, incluindo o profissional.

Para manter a integridade do processo descrito, a organização desta pesquisa-intervenção não foi feita em capítulos, mas em fluxos e influxos. Esta última palavra concentra significados preciosos: "1. ato ou efeito de influir; ação, efeito, influência 2. Figurado: concorrência em abundância; afluência, convergência. 'i. de riquezas, de dinheiro, de ideias'" ("Influxo", 2023).

Como parte do processo dessa experiência inaugural no mundo acadêmico, escolhi referir-me ao meu próprio trabalho na terceira pessoa e, nos diálogos, utilizei a letra P (pesquisadora). Isso acontece menos por uma "cisão" com a pessoalidade do trabalho e mais para deixar suspensos os aspectos egoicos de quem está nesse lugar de conduzir uma experiência fazendo parte dela. O influxo de acontecimentos das oficinas foi muito intenso e, talvez para tornar assimiláveis os acontecimentos simultâneos, moldou-se um estado especial de presença, que pode ser bem definido pela célebre frase do antropólogo Claude Lévi-Strauss: "Eu nunca tive, e ainda não tenho, a percepção de sentir minha identidade pessoal. Eu me vejo como o lugar onde alguma coisa está acontecendo, mas não existe um eu" (apud Anderson, 2012).

Porém, durante esse percurso tecido no calor de uma multiplicidade de presenças, também questionei, me identifiquei, senti, percebi, me abri para as novas revelações que escaparam a tudo o que fora pré-programado, como pede a abordagem do método cartográfico. Essas percepções "da pele para dentro" foram inseridas na dissertação como fluxos — agora, sim, no sentido do que escoa.

Todos os diálogos das oficinas foram transcritos e transportados para a dissertação praticamente na íntegra. Esse modo de lidar com as falas e intervenções corporais tem o objetivo de preservar a qualidade da experiência. Falar do corpo convoca muitos atravessamentos e tons interpretativos. Então, transcrevi os diálogos recolhendo as palavras que iam brotando nas interações corporais, problematizando as questões. Assim, o material colhido no calor da experiência permitiu não apenas criar a memória do acontecimento efêmero, o que é de valor para a pesquisa, mas produzir textos quase sem edição, capazes de transmitir a experiência da forma o mais integral e íntegra possível. Essa prática recebeu o nome de registro imediato interativo (método REII), criado e praticado por mim durante os seis anos em que atuei como assistente dos Seminários de Biodiversidade Subjetiva, realizados pela filósofa e psicoterapeuta Regina Favre no seu Laboratório do Processo Formativo, em São Paulo.

≡ Todo esse material poderá imediatamente ser revisto, estudado e utilizado, graças à agilidade do método REII — Registro Imediato Interativo, desenvolvido por Liliane Oraggio, relatora dos grupos. Por aí, vemos um pequeno exemplo de cooperação produtiva de ambientes e métodos. (Favre, 2016, p. 75)

Chegando pela escuta

1
2
3
4
5
6

Ligo o rádio e ouço um chato
Que me grita nos ouvidos
Pare o mundo, que eu quero descer.
Raul Seixas, "Eu também vou reclamar"

Como cada um dos participantes chegou até aquela sala onde começaria o ciclo das "Oficinas Corpo, Escuta e Escrita — Experimentos Textuais Formativos"?

Como eu, vestida com minha roupa estampada de mapas náuticos, com um alfinete vermelho indicando a cidade portuária em que estávamos, cheguei a esse campo inundado de excitação?

Como realizar essa coordenação, como protagonizar a proposta entre pares?

Como chegar e, já no princípio, iniciar o encontro fazendo uma conexão que afinasse os corpos, que modulasse a excitação para a experiência ainda por nascer?

Todos ali foram atraídos para o ato de aprimorar as habilidades de escrita em sua atuação como profissionais de saúde e como autores de projetos de mestrado acadêmico e profissional. Porém foi uma escolha começar essa afinação não pela conversa, pela palavra, mas criando um fluxo circular, não verbal e lúdico. Afinando o nosso instrumento corpo para fundar o corpo-do-grupo (para estar ativo por todo o semestre).

Primeiras flechas

Trata-se, então, de criar várias camadas para abrir esse campo relacional, grupal e essencialmente corporificado, daí sendo os espaços (da sala de aula convencional e da sala para trabalhos corporais) tão importantes para a incorporação das experiências. O primeiro chamado é para que todos se movam, deslocando suas carteiras da posição habitual. Em uma primeira camada, as carteiras da sala de aula convencional são afastadas para formar um grande círculo contido pelos ângulos retos das paredes. E, em seguida, vem o convite ao silêncio, para que cada um disponibilize sua presença, isto é, perceba como está experimentando o ambiente — confortos e desconfortos físicos e emocionais, temperatura, ritmo dos pensamentos, da respiração, sons ao redor, interferências na luz. Qual é a qualidade da presença permeada por todos esses fatores?

O convite agora é para que se levantem e formem um grande círculo no centro da sala. Em alguns segundos de silêncio, todos se entreolham e, sem explicação prévia, sem palavras, inicia-se o jogo das flechas.[1] A pesquisadora começa a atividade disparando uma palma em direção a um dos participantes, que por sua vez deve disparar uma palma em direção a outra pessoa, gerando um *continuum* de sons e movimentos simples, porém muito potentes, para criar a pulsação daquele corpo-grupo recém-nascido.

Para alguns participantes, o fato de não haver uma explicação prévia causa certo desconforto, que é superado pela disposição coletiva e pelo bom humor do grupo gerado por essa inesperada oportunidade de brincar. Afinal, estamos em uma segunda-feira chuvosa, dentro de uma sala de aula de uma universidade, instituição responsável por formar profissionais de saúde em nível de pós-graduação, pessoas ocupadas e sobrecarregadas por conciliar a rotina acadêmica com a profissional.

Desde o primeiro momento, fica explícito que nesse campo experimental vamos priorizar a conjugação do verbo *cocorpar*: "Corpar é gerar corpo, é ação que os corpos fazem continuamente. Keleman inventa o verbo 'corpar', do inglês *to body*, para designar essa produção de corpo, e há o cocorpar, o fazer junto a si mesmo e ao seu ambiente" (Favre, 2014). Portanto, o cocorpar exalta a capacidade humana de aprender pela imitação do outro, produzindo conexão, vínculo e, ao mesmo tempo, formando a si mesmo e transformando o ambiente.

---

1   Prática acessada pela autora nos retiros da Música do Círculo e nos eventos Fritura Livre, coordenados pelos músicos-educadores Zuza Gonçalvez, Pedro Consorte e Ronaldo Crispim. Inspirada nos ensinamentos de Fernando Barba (1971-2021), fundador do grupo Barbatuques.

Essa atividade, além de ser um aquecimento, inaugura a presença de cada um e de todos juntos como grupo, nessa jornada coletiva de dez oficinas. Viajantes embarcados numa proposta precisam criar campos íntimos de registro de seus processos. Assim, a pesquisadora distribuiu a eles cadernos de capa dura, distintos dos cadernos comuns, como estímulo para fazerem, à mão, notas do processo; como estímulo para perceberem a escrita como atividade corporal, produtora da caligrafia, da letra cursiva, pessoal e intransferível.

Pela voz do outro e a aparição de Raul

Levando em conta que muitas dessas pessoas já se conhecem, e com a intenção de que o campo-corpante tenha uma liga forte, pois os encontros serão quinzenais, é proposta uma dinâmica de apresentação não usual, que gera um novo *quantum* de envolvimento, um novo estado de atenção no grupo: em vez de se apresentar para os demais, cada participante vai ser apresentado por seus pares. E, aqui, o leitor já tem uma ideia da diversidade do grupo e da inserção de cada um no tecido social.

Pesquisadora — *Bia, você se sente à vontade para ser apresentada por três colegas seus?*

É importante ter essa autorização para que a dinâmica siga revelando como cada um é notado por outras pessoas em seus campos de atuação profissional, acadêmico, social, afetivo. Depois de feita a apresentação pelos colegas, a palavra volta para o apresentado: será que faltou alguma coisa? E a própria pessoa complementa o que foi dito, acrescentando informações ou falando da sensação de ser vista pelos colegas. Aqui, começamos a conjugar o verbo "escutar" coletivamente. Interessante perceber como é rara a oportunidade de ser descrito e até mesmo apreciado pelo outro, que vê realçados alguns aspectos de sua biografia, ao mesmo tempo que o narrador também revela informações sobre si mesmo.

Juçara apresenta Bia:

— *Ela é farmacêutica, mesma profissão que a minha, gosta de música e colocou nomes de cantores nos filhos. É generosa com os colegas e tem uma escuta excepcional. Esse interesse genuíno pelo outro é particular dela.*

Renato apresenta Bia:

— *Ela é uma pessoa amiga, sempre presente, sempre disposta ao diálogo. Me sinto muito à vontade com ela.*

Carolina apresenta Bia:

— *Enquanto trabalhadora, é aplicada e muito companheira dos colegas farmacêuticos. Vejo quanto ela luta para a farmácia ter valor dentro da prefeitura.*

P — *Bia, faltou alguma coisa?*

Bia — *Experiência interessante essa de ouvir a percepção de cada um, inclusive esse lado subjetivo, pois cada um que fala tem a ver com como cada pessoa olha para mim. É gostoso ouvir. Me senti vista por essas pessoas que fizeram essas falas. É gostoso ouvir e perceber o espelho, que reflete o jeito que me sinto em grupo.*

P — *Quais são os nomes dos seus filhos?*

Bia — *Clara e Raul.*

P — *Mesmo? Essa noite sonhei com Raul Seixas... Eu estava vindo para cá, apressada, preocupada se ia dar tudo certo, e o via do outro lado da rua. Tinha o corpo dos anos 1970, blusa cacharrel, calça boca de sino com cinto, e acenava para mim, me cumprimentando como se fosse um velho amigo. Foi um bom encontro e agora ele está entre nós!*

Marília — *Meu filho também se chama Raul, por causa do Raul Seixas. E essa noite também sonhei com Raul Seixas.*

P — *O que você sonhou?*

Marília — *Tem uma música dele que diz: "Dois problemas se misturam/ A verdade do Universo/ A prestação que vai vencer"... e eu fiquei com isso na cabeça...*

Ainda nos primeiros minutos de conexão, na primeira apresentação, surge essa oportunidade de lançar na atividade uma camada mais íntima de informação. Raul Seixas faz uma aparição dando nome aos filhos de duas pessoas do grupo e permitindo que a pesquisadora contasse seu sonho, uma escuta do inconsciente, também ligado ao início das oficinas. Esse acontecimento inesperado convoca de maneira muito direta a presença da pesquisadora como sujeito (não como observadora), selando a conexão sujeito-sujeito e a inversão do caminho na produção de conhecimento, aspectos tão desejados na pesquisa-intervenção.

≡ O desafio é o de realizar uma reversão do sentido tradicional de método — não mais um caminhar para alcançar metas prefixadas (*metá-hódos*), mas o primado do caminhar que traça, no percurso, suas metas. A reversão, então, afirma um *hódos-metá*. A diretriz cartográfica se faz por pistas que apontam o percurso da pesquisa sempre considerando os efeitos do processo do pesquisar sobre o objeto da pesquisa, o pesquisador e os resultados. (Passos e Barros, 2009, p. 17)

P — *Você se sentiria à vontade se alguém te apresentasse?*
Marília — *Acho que ninguém me conhece...*
Esmeralda apresenta Marília:
— *Meu filho joga futebol com o filho dela... Ela torce muito pelo filho dela. Ela é mãe do Raul e eu, do Lucas.*
Viviane apresenta Marília:
— *Fizemos uma disciplina aqui na Unifesp no semestre passado. Você é do Procomum* [Instituto Procomum, coletivo de atuação relevante em Santos]. *Tenho participações lá. Estar lá e ser de lá emana boas aberturas e composições.*
P — *Faltou alguma informação?*
Marília — *Ser apresentada pelo meu trabalho e pelo meu filho já está muito bom.*

Tanto essa apresentação quanto as seguintes, além de darem prosseguimento ao "falar de si ao falar do outro", também fazem surgir uma camada importante para a escuta: revela-se, pelo olhar dos pares, qual é a atuação do participante no tecido social, seus lugares de atuação e pertença, e como estes figuram na memória das vivências coletivas e afetivas.

Carolina apresenta Viviane:

— *Nos conhecemos por diferentes entradas. Ela foi minha preceptora de estágio no último ano de faculdade e a associo ao Camará* [Instituto Camará Calunga, voltado para a defesa dos direitos humanos, especialmente de crianças e adolescentes, em São Vicente (SP)]. *E ela tem uma sensualidade, um jeito de estar, de falar, de se vestir muito autêntico. É uma pessoa marcante.*

Bia apresenta Viviane:

— *A conheço de uma vivência com o grupo do Camará, aqui na universidade. Ela conduziu de forma muito sensível. E lembro dela com o Camará em uma audiência na Câmara Municipal. Havia 50 ou 60 pessoas e vocês puxaram um samba e levantou todo mundo, foi emocionante. Sempre a vejo em grupo.*

Simão apresenta Renato:

— *Não tenho muito convívio com Renato, mas leio sempre o que ele escreve, é uma pessoa muito inteligente.*

Juçara apresenta Renato:

— *Falar do Renato passa por falar do Programa Antitabagismo, em Guarujá (SP). Eu sou a coordenadora farmacêutica e ele, o coordenador enfermeiro. Antes de conhecê-lo pessoalmente, já ouvia falar bem dele. Quando o conheci, foi um sentimento muito bom. Gostamos um do outro, e um dia ele me revelou que não é enfermeiro desde o início da carreira. Ele tem uma deficiência auditiva que já foi muito grave. Por não poder se comunicar com as pessoas, trabalhava com computadores. Mas ele fez um implante coclear* [inserção de um dispositivo eletrônico dentro da cóclea, parte do ouvido interno em formato de concha] *e passou a escutar, melhorou a fala e se formou em enfermagem. Essa história me marcou, pois antes eu não havia pensado na dificuldade de uma pessoa que tem deficiência auditiva, do quanto é limitante.*

Esmeralda apresenta Renato:

— *É uma superação e tanto. Precisa de muita força.*

P — *Renato me chamou a atenção por sua disponibilidade de conexão com as propostas que lancei hoje. Não havia percebido que havia essa questão com a escuta. Faltou algo para dizer sobre você?*

Renato — *Não. É isso mesmo, me sinto bem nessa roda de conversa, esse é um momento especial. Obrigado.*

As histórias de superação ganham espaço na conversa e vão delineando os aspectos desafiantes que marcam fortemente a vida de alguns participantes. Ainda nos momentos iniciais da pesquisa, fica claro que, além de escutar, escrever e pensar a formação dos profissionais de saúde, cuidar será igualmente importante para o fluxo do grupo. Nesse sentido, a pesquisa do cuidado torna-se metalinguística, isto é, vamos desenvolver a escuta e a escrita do cuidado, cuidando também das emoções que emergem.

Carla apresenta Simão:

— *Ele é prestativo, engraçado, tem uma escrita muito boa. Me identifico. Pois sou formada em Letras e sou servidora da saúde do departamento administrativo. Me identifiquei muito com ele, que é estivador e trabalha na área portuária.*

Renato fala de Simão:

— *Ele é um cara que me recorda memórias carnavalescas, presidente da escola de samba, superativo, alegre, incrível, parceiro mesmo.*

Espaço de cuidado

Audra apresenta Simão:

— [suspiro] *Falar dele me remete a memórias afetivas familiares, nos conhecemos desde a adolescência, lembro dele no carnaval, na escola de samba do porto, minha mãe é do samba. Fiquei muitos anos sem saber dele até encontrá-lo no mestrado e admiro a vontade dele de querer aprender mais, como agarrou a oportunidade de estudar nessa nossa vida tão difícil. Eu entendo isso. Venho do mesmo lugar que tu... Ele é batalhador.*

P — *Não é todo dia que a gente tem essa narrativa de alguém que conhece desde a adolescência. Percebe como isso tem uma textura diferente, tem uma qualidade de afeto diferente? Você enraíza sua fala na cultura, no corpo, no samba, na mãe. Vejam quantas camadas afetivas, da história social, tem nessa fala. Te emociona, Simão?*

Simão — *Bastante* [olhos marejados].

Bia — *O suspiro da Audra quando ela começa a falar...*

P — *Percebam como o ambiente ficou líquido... Fechem um pouco os olhos... Tem um calor, parece que mudou de dial a faixa do rádio... O que será* que a gente pode perceber nesses níveis de afetação numa narrativa e dar espaço para isso? E não apenas tocar adiante? O que está acontecendo aqui, agora, dentro de cada um? Perceba.

Simão — [cantando] *"Não deixe o samba morrer, não deixe o samba acabar"...* Está na cara que estou emocionado.

Cuidar de quem cuida

Esse foi um momento de muita intensidade para o grupo e, consequentemente, para a pesquisadora. Com base em sua experiência clínica no campo corporalista e arriscando "quebrar" o campo-corpante, em plena formação, foi uma escolha chamar a atenção para o corpo e, a partir dele, ampliar o espaço para poder sentir, dar nomes e expressar os sentimentos. A conversa é retomada com uma pergunta que habitualmente é feita em uma sessão terapêutica.

P — *Perceba o que está acontecendo agora no seu peito, na sua garganta, nos seus olhos... Se puder, descreva.*
Simão faz uma pausa e começa a falar devagar, com voz contida.
Simão — *O meu maior defeito é ser sincero, falar tudo o que eu penso... Muitas portas se fecharam por isso, mas algumas portas se abriram por isso. Fui trabalhar no porto aos 17 anos, seguindo os passos do meu pai. E também tenho um programa de rádio e um blogue. Há 15 anos, eu estava brigando para a universidade vir para Santos. Agora, quando entro na Unifesp, pra estudar, é como se eu tivesse atravessado uma barreira, foi tanto esforço pra passar essa grade. Ser Unifesp e botar o meu crachá no peito, estar no mestrado interdisciplinar e falar do trabalho portuário é estar no topo... e isso vale todo o esforço. E é assim, tem que falar as coisas, se guardar pra você, machuca.*
P — *Você pode falar das suas lutas, dessa briga?*
E ele segue, com a voz muito macia.
Simão — *A minha maior arma é ser duro. Eu adoro levar porrada, que a porrada é que faz superar o obstáculo. Meu pai me ensinou que só vou deixar de aprender quando eu morrer. Nós temos dois ouvidos, dois olhos e uma boca. E eu tenho um defeito que é falar muito, então tenho que prestar atenção*

muito mais e ouvir muito mais. Essa atitude me ensina a aprender mais, a ter mais empatia, coisa que eu não tinha.

P — *Depois dessa pausa, continuamos aqui nesse líquido, nessa presença que você traz, que é calorosa, forte. E tem uma dimensão que gostaria de imprimir nos nossos encontros, que é a gente ouvir o outro e se ouvir, tomar um tempo para se ouvir... Que olho marejado é esse? Que vontade de escapar é essa? Tudo isso vai formando essa escuta pra fora e pra dentro... Muito da empatia acontece nesse trânsito. Começa no âmbito mais interno para fazer conexão mais forte com o externo.*

Desde o início, foram pontuadas nas várias falas as camadas que vão compondo os atores dessa jornada, suas trajetórias singulares, os ambientes por onde transitam, os enfrentamentos e superações, os talentos e dificuldades, tanto na vida pessoal quanto na profissional. E no caso, estando sob o olhar de outros pares, poderia ser perturbador demais. No próximo diálogo, uma das participantes traz esse elemento do desconforto.

Audra apresenta Esmeralda:
— *Eu a conheci no mestrado profissional, foi amor à primeira vista... A gente falava tudo, né, amiga? Ela era muito ansiosa, eu era a balança dela. Ela fala rápido.*

Carla apresenta Esmeralda:
— *Eu cheguei muito nervosa para a prova de mestrado e ela estava na porta, recebendo as pessoas. Me disse: "É aqui, seja bem-vinda". E eu me senti acolhida e tive a sensação de estar num bom lugar.*

Simão apresenta Esmeralda:
— *Eu a conheço há mil anos, nos encontramos em um evento da Fundacentro, do Programa de Saúde do Trabalhador. Somos totalmente diferentes, mas onde ela está troca comigo, me trata como igual. Só tenho a agradecer. Pessoa nota dez. E ainda é supermãe.*

Thais apresenta Esmeralda:
— *Ela sempre tem esse sorriso largo, fácil. É de longe nossa maior tagarela. Fala 15 minutos sem parar, sem pegar fôlego, e hoje passa essa serenidade. Hoje está serena, mais tranquila e até respira para falar.*

Gabriela apresenta Esmeralda:

— *Muito batalhadora, batalha em dois empregos. Lembro da minha irmã. Ela é muito boa na oratória, não sei se por causa do sangue da mãe professora. Mas ela é incrível na apresentação. Acho que nunca vi você desanimada. Tem uma alegria que vai acolhendo.*

P — *Falta algo?*

Esmeralda — *Me surpreendeu nessas diversas falas ser reconhecida como pessoa acolhedora. Agora estou numa fase mais introspectiva. Quando a gente fala muito, perde a escuta do outro.*

P — *Quero frisar esta frase que você acaba de dizer: quando a gente fala muito, ficamos muito na fala, a gente perde a escuta do outro. E agora você está aqui ouvindo mais e ouvindo as pessoas falarem de você. É desconfortável isso? O que acontece com você enquanto ouve?*

Esmeralda — *Tem os dois lados...*

P — *Descreve o que acontece com você enquanto ouve.*

Esmeralda — *Dá medo... A gente tem defeitos, medo de desagradar o outro. Perceber que as pessoas te enxergam como polivalente, com diversas experiências de vida. No dia a dia a gente não percebe isso. Ser polivalente me deixa sempre correndo e não percebo que não acolho as pessoas. É um bom retorno, ser acolhedora. Tenho medo de não dar essa escuta quando alguém precisa ser escutado.*

P — *Falta alguma coisa?*

Esmeralda — *Não.*

P — *Queria pontuar que estamos numa operação de risco, porque essa experiência também traz o medo, as palavras dos outros sobre mim podem pesar. Nem parece, mas estamos arriscando... sustentar o olhar do outro. Muitas vezes os nossos pacientes sustentam o nosso olhar. Fico pensando nessa dimensão, do exercício nesse ambiente, mas como se pode modular essa presença em outros ambientes? É uma operação de risco e estamos vivendo esse risco juntos, e isso nos une.*

Paralelos metodológicos

Neste ponto, é preciso lembrar que a metodologia das oficinas e a metodologia da dissertação são distintas, mas correm em fluxos paralelos e igualmente intensos. Durante os encontros, a pesquisadora optou por transcrever os diálogos no momento em que aconteciam ou gravá-los e posteriormente transcrevê-los. Essa prática vem ao encontro de manter vivo o material de pesquisa. Anotar um diálogo fresco, escorrido das menores ações dos interlocutores, é escutar a espreita. Em atitude de colheita, captar a oralidade usando papel-e-caneta-e-mãos-e-ouvidos-e-rosto-e-língua-e-gravador: modo de performar e formar a vida. Por isso a escolha de transpor os diálogos para a escrita praticamente intactos, respeitando os fluxos de expressão, que também incluem o não dito e as pausas.

Nesse momento de chegada, são os diálogos — não os monólogos — que revelam o contexto em que o trabalho está enraizado, revelam quem são os participantes, com suas formações institucionais e subjetivas. É recolhendo as singularidades que podemos criar e alimentar a produção do conhecimento em rede, a potência multiplicadora do conteúdo (aqui, fazendo referência à dissertação). Nessa imbricação, desobediente à hierarquia de um texto explicativo, torna-se possível experimentar o caráter transversal da pesquisa-intervenção:

> Operar na transversalidade é considerar esse plano em que a realidade toda se comunica. A cartografia é o acompanhamento do traçado desse plano ou das linhas que o compõem. A tecedura desse plano não se faz de maneira só vertical e horizontal, mas também transversalmente. (Passos e Barros, 2009, p. 27)

Outros diálogos evidenciam a heterogeneidade do grupo: alguns participantes são fortemente enraizados em seu trabalho na área da saúde, outros têm formações híbridas, outros estão no início da vida e da carreira, outros já se aposentaram; porém, como denominador comum, são empenhados em refletir sobre as práticas de cuidado e com uma disposição forte de aprender uns com os outros.

Viviane apresenta Carolina:
— *Lembro da Carol quando a mãe dela gestava a Carol. Não éramos próximas, mas sempre tive profunda admiração pela figura da sua mãe, pessoa que inspirou muitos de nós, trabalhadores da saúde. Quando eu a encontrei em*

2015, sua profundidade e seu empenho me chamaram a atenção. Você busca e persiste, tem pensamento que amplia, que traz a alma da ciência que acontece e pode ser refletida, multiplicada, compartilhada.

P — *O que faltou, Carol?*

Carolina — *É sempre importante trazer a referência de minha mãe, a Aparecida Pimenta [médica sanitarista]. Várias pessoas conhecem, tive fases de me distanciar disso, no momento estou bem satisfeita, tenho orgulho e admiração.*

Carolina apresenta Carla:

— *Ela canta e seu sorriso iluminado chama muito a atenção. Alegria e bom humor diz muito, e cantar e compor diz muito. Em uma apresentação, ela emocionou todo mundo.*

Juliana apresenta Carla:

— *Achei a Carla comunicativa, depois soube que fez Letras.*

Gabriela apresenta Carla:

— *Ela participa na aula, nos grupos, é bonito de ver uma pessoa não formada em saúde com preocupação com o cuidado. Ela tem cuidado com o cuidado.*

P — *Faltou alguma informação?*

Carla — *Arte é importante para mim, canto, componho, sou bailarina, escrevo, me formei em Letras. Por necessidade de emprego, prestei o concurso e há seis anos trabalho no departamento administrativo da prefeitura. Estar aqui no mestrado fazendo a pesquisa sobre "cuidar do leigo" é arte para mim, e pensar a respeito do que faço é arte para mim, olhar e enxergar o outro, isso é arte para mim. Isso dá sentido à minha vida e ao meu trabalho.*

Em apenas três horas desse primeiro encontro das oficinas, foi possível navegar por várias intensidades e notar a amizade como característica desse grupo. Para fechar esse fluxo presencial, voltamos a formar um círculo no centro da sala. Primeiro, ouvimos o silêncio, nos entreolhamos e batemos uma única palma, ao mesmo tempo, em uníssono.

No entanto, o [in]fluxo dissertativo segue, agora rumando para construir uma nova camada de apresentação e de identidade do grupo, novamente observando as singularidades, o contexto, e inserindo uma introdução ao aspecto corporal da experiência com a escuta e com a escrita.

Escutar a si mesmo para escutar o outro

Sem estimulação prévia, a segunda oficina começa com a turma dividida em duplas. Por alguns minutos, um conta para o outro a história do seu nome, e quem escuta escreve sobre ela um breve texto.

Depois de dez minutos, o grupo silencia e o convite não verbal da pesquisadora, que apenas se levanta e estende os braços sugerindo um círculo, leva todos a formar uma roda no centro da sala.

Ao passar os olhos sobre essa primeira amostra de 28 corpos de profissionais de saúde, dispostos em pé, é possível notar, com base nos conceitos do processo formativo, que a predominância é de pessoas com uma estrutura corporal densa, costas sobrecarregadas e ombros enrijecidos, joelhos travados para trás. A frente é tensa e introvertida, ao passo que o rosto é curioso e disponível, compondo uma espécie de "prontidão para a guerra" — para a atividade, para mais essa etapa do trabalho do dia, da semana, da universidade, seguida de mais trabalho, filhos, família.

É proposto que fechem os olhos, ousando ausentar-se desse contato com os demais, para um modo "simples" de fazer a conexão com uma presença interna.

P — *Perceba como os pés estão sobre o chão, como as pernas estão sobre os pés, como o quadril está sobre as pernas, como está o peito, como estão os ombros sobre o peito, como está o pescoço sobre os ombros, como está a cabeça sobre o pescoço. Somos todas essas estruturas, empilhadas umas sobre as outras.*

Perceba se é possível com a própria respiração, levando o ar a cada uma dessas partes, ganhar espaço por dentro da cabeça, por dentro do pescoço, por dentro do peito, alto do peito e pulmões, ganhar mais espaço por dentro usando a própria respiração... E, agora, vamos ouvir mais longe... começando pela captação dos sons externos, do lado de fora do prédio [há uma lavadora de alta pressão ligada, um ruído que prepondera sobre o som de passarinhos e vozes]... *e vamos voltando para os sons do círculo, até chegar no som da própria respiração, em outros sons do corpo... o estômago que ronca, a saliva que é engolida, um dente que encosta no outro... outros sons.*

Ainda com os olhos fechados, o grupo escuta uma descrição anatômica do aparelho auditivo, que está sendo estimulado simultaneamente:

P — *Perceba as orelhas em formato de concha. Para cumprir sua função acústica, essa parte externa capta os sons que vêm pelo ar. Os estímulos sonoros são conduzidos pelo ouvido externo, fazendo vibrar os delicados ossinhos (martelo e bigorna). Conforme ocorre a vibração das ondas sonoras, cílios microscópicos se movem, conduzindo o estímulo sonoro até o ouvido interno. Lá está a cóclea, o tecido em forma de espiral onde, em meio líquido, feito da mistura de cálcio e potássio, os cílios microscópicos vibram, conduzindo o som pelo nervo coclear até o córtex auditivo. Então, o estímulo sonoro propagando-se pelo ar vira estímulo elétrico, vira sinapse processada no cérebro, o que nos permite distinguir os sons de máquinas e de homens, de engrenagens e de vozes, de palavras ou de música e estabelecer a comunicação. É um sistema muito delicado.*[2]

Anatomia viva

Pode ser angustiante ficar tanto tempo com os olhos fechados, sem estar exposto a estímulos visuais, que tomam 90% da percepção, para prestar mais atenção à escuta. Podemos experimentar outra qualidade de presença, mais focada no presente, em como estamos aqui e agora. O aspecto "prontos para a guerra" agora está um pouco mais difuso. Alguns se permitem suspirar, bocejar.

Segue-se outra prática anatômica usada para aprofundar esse estado mais sensível, que propicia a conexão simultânea entre o ambiente e a autopercepção — uma introdução ao aprendizado de se deixar adaptar a si mesmo, ao mesmo tempo que ao ambiente, com recursos do próprio corpo. Trata-se do esforço muscular voluntário (EMV), que permite experimentar a "capacidade de ter influência voluntária sobre si mesmo" (Keleman, 2012).[3]

---

[2] Explicação baseada no vídeo "Viagem do som pelas vias auditivas". Disponível em: https://www.youtube.com/watch?v=Sat3SVT5zuI. Acesso em: 15 set. 2023.
[3] Veja o vídeo "O esforço muscular voluntário como um evento epigenético". Disponível em: https://www.youtube.com/watch?v=-Ii1yxff2jU. Acesso em: 15 set. 2023.

A proposta é abrir e fechar as mãos, com a palma voltada para cima. Lentamente, começamos a abrir e fechar as mãos, percebendo como se faz esse gesto simples.

P — *Como eu abro as mãos? Como cerro os punhos? Muita força para abrir? Muita força para fechar? Qual é o ritmo dessa ação?*

É possível sentir que quando estico os dedos estou mexendo com a mesma pele que reveste o restante do corpo?

Será que acontece alguma coisa com a garganta? Com a boca? O que acontece no peito?

Tente manter o ritmo lento, abrindo e fechando as mãos... Veja se acontece alguma coisa na barriga...

Nessa oscilação, leva-se o peso do corpo para a frente e para trás, pensando que a gente aqui, junto, também tem uma textura de cílio, dentro da estrutura auditiva há muitas oscilações para perceber os sons agradáveis e desagradáveis... estão misturados.

Sustente os pés, as pernas, o tronco, a cabeça... perceba se o queixo está paralelo ao chão. Se estiver, ótimo, se não, apenas perceba.

Ainda de olhos fechados, faça pequenos movimentos de rotação dos ombros, levando o ar a esse lugar que costuma ser tão sobrecarregado, pequenas rotações, suaves, molinhas, mexendo com essa articulação... Talvez as rotações abram mais espaço na cintura escapular, no peito, que sustenta o pescoço... Alterne um e outro, continue a rotação.

Continue com a atenção nos sons de longe e de perto.

Que som vem quando eu mexo essa articulação? Será que a pele roçando dentro da roupa faz algum som?

Será que a articulação estala e faz um som?

Para abrir toda a parte da boca, gostaria que estalasse a língua no céu da boca, no alto da boca, no chão da boca... se vier bocejo, boceja mesmo, até o fim, todos estão de olhos fechados e podem aproveitar a chance de espreguiçar o avesso do rosto. Esse gesto, disparado lá no sistema nervoso autônomo, ativa o avesso do rosto, que é parte fundamental também para abrir a escuta.

Aproveita para se espreguiçar, se precisar de mais espaço... é agora.

Todos se espreguiçam.

Toma o seu espaço dentro do seu corpo.

Agora com os olhos abertos, vamos perceber como é essa escuta, os sons de longe, de perto, a escuta de dentro.

Alguém tosse.

A pesquisadora se lembra de um poema da escritora norte-americana Anne Sexton (2013) e o recita: "Como já foi dito:/ O amor e a tosse não podem ser disfarçados./ Nem mesmo a pequena tosse./ Nem mesmo o pequeno amor".

Com esse acaso, o corpo-experiência ganha a camada da literatura, elemento transversal e constante deste estudo.

Depois dessa estimulação, a pesquisadora pede que todos voltem às duplas e repitam o exercício de contar um ao outro a história do próprio nome — quem ouviu, agora, vai redigir. O objetivo é provocar a repetição, fundamental no processo formativo, de produção de corpo e de presença e também no processo da escrita, em que precisamos ler, intervir, corrigir, revisar o mesmo texto muitas vezes, até que esteja pronto.

Depois de dez minutos, a pesquisadora pede aos participantes que leiam o que foi produzido ali. Mas, antes, revelam-se elementos intrínsecos à elaboração da escrita e das expectativas imediatistas a respeito desta. Uma das participantes declara que odiou o próprio texto, diz que escreveu mal.

Esmeralda — Acho que, quando você digita, pensa melhor no texto... Cometi vários erros de português, repeti palavras, acho que isso não ocorreria no computador.

P — Ocorreria. Tem o corretor, que já vai fazendo aquela limpa. Mas, de fato, até você terminar um texto... e não pretendemos aqui produzir textos prontos e acabados. É natural ler várias vezes, mudar a pontuação, acertar palavras. Vai ler muitas vezes, vai fazendo esse trabalho até finalizar.

De pronto, aparece a alta exigência, de fazer tudo rápido, certo. Porém, agora, não estamos escrevendo um memorando, um prontuário, estamos numa experiência, escrevendo uma história sensível, dentro da qual há sangue quente, e que não tem forma. Outro dia, recebi a tarefa de fazer um relato de caso que deveria ser feito dentro de um modelo de relato de caso. Nós não estamos fazendo isso.

O que está valendo agora é: como vamos nos fazer ouvir pelo outro? Gostaria que cada um, enquanto ouve, prestasse atenção em como ouve. Depois, vou pedir uma pequena descrição da sua ação de escutar.

A história do seu nome

Assim surgem os primeiros textos, frutos dessa estimulação corporal para estar em atividade, estar em conexão com o outro e ao mesmo tempo estar presente à escuta interna; como estamos trabalhando o nome próprio, a conexão é com a própria identidade.

Eliana lê o que escreveu sobre o nome de Esmeralda:

"De um universo tão vasto de nomes próprios, uma repetição de nomes na família pode expressar falta de originalidade ou criatividade. Porém, a repetição com suas justas alterações me remete a uma sonoridade que, se soasse ao mesmo tempo, expressaria uma canção: Esmeralda, Esmeralda, Esme, Esme."

Eliana canta e todos criam um coro muito inspirador.

Isso afeta a dona do nome e também o grupo.

Esmeralda — *Pela primeira vez eu gostei do meu nome!*

P — *Uma função da escuta é ressignificar conteúdos. Eliana conservou a rejeição ao nome como elemento do texto, mas o ressignificou trazendo o valor da repetição, que até virou música!*

Lia — *O texto convocou uma poética que você mesma, a Esmeralda, não tinha notado no próprio nome. Fica visível como tem uma linhagem, a dinastia Esmeralda!*

Leandro — *Me deu a sensação de tornar belo o que era desconforto.*

P — *A escuta vai transformando.*

Esmeralda — *Agora percebo que não é falta de originalidade, mas uma valorização da história da família.*

E, provocando outra camada de expressão, quem escutou a história conta como escutou.

P — *Como estavam seu corpo e sua atenção no momento da leitura?*

Zilmara — *Estava atenta, era a primeira leitura e fiquei atenta para ver como ela fez.*

Carla — *Me despertou a atenção a forma como ela mobilizou a turma para participar da história. Me surpreendeu.*

Simão — *Parecia um cordel.*

Thais — *Quando ela leu, seu sotaque nordestino me trouxe familiaridade, uma memória, um conforto, e isso evocou o meu corpo para estar menos tenso.*

De novo, a proposta é repetir a leitura, apurar a escuta e responder ao interlocutor com mais presença:

P — *Agora a gente já sabe o que ela quer da gente e a gente vai cantar o texto quando ela pedir.*

"De um universo tão vasto de nomes próprios, uma repetição de nomes na família pode expressar falta de originalidade ou criatividade. Porém, a repetição com suas justas alterações remete a uma sonoridade que, se soasse ao mesmo tempo, expressaria uma canção: Esmeralda, Esmeralda, Esme, Esme."

Contar e recontar

Com essa experiência, o grupo fica nutrido dos efeitos de uma escuta de si mesmo, do outro e também de uma camada coletiva. A potência de uma história contada, recontada, novamente repetida para o grupo, deixa de ser individual e confere pertencimento, imprimindo uma dimensão amplificada de um fato. Depois de ouvir atentamente sua interlocutora, a autora do texto não reduziu o episódio à falta de originalidade: não apenas propôs um novo olhar sobre o fato, como convocou o grupo a fazer parte da criação de uma nova camada de significado. A escuta possibilitou outros pontos de vista e não permitiu o "vício" em uma única versão, sem julgar, sem reduzir, sem falar pelo outro.

Nesse propósito de alargar as fronteiras da escuta, também coube ampliar a expressão oral, como se escrevesse em voz alta, com o propósito de transmitir para os outros aquele conteúdo recém-nascido.

Yasmin lê o que escreveu sobre o nome de Juçara:

"O nome Juçara foi escolhido por meu pai, um homem muito patriota, que diz que o sangue tupi corre em nossas veias. Ele quis deixar em meu nome e no nome de meu irmão essa raiz brasileira. Juçara é sua terceira filha e também uma palmeira, que fornece a matéria-prima para que os índios da tribo

tupi façam agulhas, que são usadas como instrumentos de guerra. Descobri mais tarde que os tupis formavam um povo canibal. A escrita de meu nome me incomoda, pois os sistemas eletrônicos não aceitam cê-cedilha e acabam me chamando de Jucara. Porém, há algum tempo, li um livro sobre a grafia tupi, carregada de Ks, Ws, Ys e Çs, como em açaí, Mogi-Guaçu e Araçatuba. Descobri, então, que meu nome está escrito da forma correta em tupi."

P — Como você ouviu, Juçara?

Juçara — Ela conseguiu reproduzir exatamente o que sinto, o que falei para ela... Ela colocou em primeira pessoa. E eu também escrevi a minha versão.

"Meu nome poderia ser improvisado no início da minha existência. Sempre tive o sentimento de que o terceiro filho de um casal é aquele filho que veio sem avisar, que não é mais novidade e acaba sendo cuidado também pelos irmãos. No meu caso, até é como se meus pais já fossem avós! Mas meu nome teve um significado, sim. Representou o amor de um homem por sua terra, que é bastante miscigenada, porém teve sua raiz povoada pelas antigas tribos indígenas. Meu nome é de origem tupi. Juçara, tupi-guarani Içara, que quer dizer coceira ou ardor, de onde se teciam agulhas retiradas das palmeiras. Juçara era filha de Jurema, figura mitológica muito conhecida, neta de um grande cacique, Tupinambá. Nome que sempre causa dúvida, por ser escrito com cê-cedilha. Recentemente li num livro de português que a grafia correta do meu nome seria mesmo com o cê-cedilha, pois as nomenclaturas indígenas são escritas dessa forma. [...] Quem não me conhece pessoalmente acredita que eu seja uma mulher mais velha, aquela que fala ao telefone ou escreve em algum processo administrativo... talvez uma funcionária pública prestes a se aposentar. Particularmente, apesar de gostar do meu nome, acho que poderia ser um pouco mais simples. Mas talvez a simplicidade não estivesse rodeada de tantos acontecimentos que vivi, talvez passasse despercebida em determinadas situações, enfim, talvez não demonstraria o amor de uma pessoa pela sua pátria, o orgulho de ser brasileiro, da cultura que essa escolha pode ser capaz de mobilizar e da sensibilidade de alguém que sempre acreditou em seus princípios, mostrando ser brasileiro de coração."

P — Ela fez uma versão sintética bem-feita, percebam que Yasmin enxugou o texto e manteve a essência. Como está seu corpo enquanto ouve? Como você ouviu o que ouviu?

Viviane — *Não fechei os olhos, mas levei meu olhar pro além. Desconectei da visão para poder sorver... a sonoridade, o ritmo, o tempo, e percebi as aproximações dos dois textos. Tem fluxo e tem volume. E uma marca desses textos é a tradição, o desejo de manter as raízes, isso evocou uma força, nesse texto e aqui.*

P — *Fiquei com essa impressão de ter muita consistência, de ter um fluido, mas observei que você apressou a leitura, engoliu as palavras, que a sua respiração ficou curta, apertando a garganta. E quero saber: qual é o comportamento que você associa à sua leitura?*

Juçara — *Timidez. E sempre penso na reciprocidade, senti que falava muito de mim, me incomoda falar do meu texto e não falar do dela. Eu dou espaço para o outro. Essa pergunta me faz lembrar que na infância fui muito expansiva e isso me prejudicou. Depois, na adolescência, me retraí, e isso aparece aqui, hoje.*

Yasmin — *Você ficou emocionada quando falou do seu pai. Senti isso. Quando se apressou... foi a emoção de falar do seu pai.*

Juçara — *Tenho falado tanto do meu pai, vou trazer ele aqui!*

P — *Por favor, ele é nosso convidado de honra. E você já trouxe, ele está aqui. Você gostaria de ler o texto dela?*

Juçara — Sim.

P — *Tome seu tempo. Pode respirar e ocupar o espaço da emissão das suas palavras.*

No desenrolar dessa oficina, foram vários os momentos muito tocantes e surpreendentes, o respeito e o envolvimento do grupo com a escuta. Para a pesquisadora, esse foi um sinal de que o campo-corpante descrito no início deste [in]fluxo havia ganhado consistência e propiciava um deslizamento entre a superfície e a profundidade de cada um dos participantes — e também do corpo-grupo.

Juliana lê o que escreveu sobre o nome de Adriana:

"*Sendo ela minha irmã, o princípio para a escolha do nome se assemelha. Nossos nomes rimam. Essa conexão dos nomes também bate com a conexão que nós temos. Como grande estudiosa que é, Adriana sabe a origem do nome.*

Ela sabe que o nome a define como pessoa e, caso tivesse outro nome, de repente ela seria outra pessoa. Porém, em família, ela é chamada pelo primeiro nome escolhido, Ana Paula, mas essa escolha não vingou. Assim, não houve jeito: não era ela que possuía um nome, mas aquele nome a possuía. E também define outra pessoa que vive dentro dela, um outro quem..."

P — *Como foi ouvir?*

Adriana — *Foi diferente. Interessante como ela captou essa questão da dualidade. De início, meu nome era para ser Ana Paula. Mas ficamos Adriana e Juliana, essa rima é uma piada na família. Sou quatro anos mais velha do que Juliana. E a família me chama de Ana! Adriana significa aquela que veio de Ádria, deriva do deus grego Adar, deus do fogo, e seus discípulos eram adoradores de Hércules, o herói. Fogo e força eu tenho. Talvez se me chamasse Ana Paula eu seria uma pessoa mais meiga.*

P — *Como foi trabalhar essa história que já conhecia tanto?*

Juliana — *Mas não conhecia tanto assim! Mesmo sendo irmãs, muito conectadas como somos, eu não conhecia a versão dela sobre isso. Nem as pessoas mais próximas sabem tudo de nós.*

P — *É difícil parar para escutar o tão próximo. Há algumas qualidades de presença como a que a gente está abrindo aqui. As irmãs que convivem e têm novidade uma para a outra. O seu [texto] sobre ela? Como você fez?*

Adriana — *Apesar de a gente ser muito próxima, ela é uma pessoa bem fechada, bem... Ela tem um limiar que você não consegue acessar. Você pediu para fazer dez linhas. Eu fiz exatamente dez linhas, não é poético nem emocionante:*

"O nome dela rima com o da irmã e ela gosta dele."

Aí eu me emociono... [gagueja, engasga e derrama lágrimas grossas]

Pesquisar é cuidar

De novo, faz-se necessário entrar no âmbito da pesquisa como ato de cuidado e como cuidado em ato. E fica nítido que não estamos trabalhando em um campo de relações protocolares, em que tarefas e enunciados são simplesmente cumpridos, excluindo aspectos sensíveis e subjetivos. A pesquisadora opta por trabalhar essa emoção para que a leitura possa prosseguir.

Percebe que a participante está fazendo um grande esforço de expressão coletiva e o ambiente confiável permite que ela vença esse obstáculo e fale da própria irmã com o afeto que move aquela relação familiar. Dessa forma, esse afeto também compõe uma camada afetiva do grupo e para o grupo, um espaço possível para exercitar que é autêntico, nesta precisa definição:

> A palavra autêntica é uma palavra que não se restringe à imitação de um modo preexistente; ela é livre para deformar e inventar, com a condição de permanecer fiel à sua própria lei. Ora, essa lei interior escapa a todo controle e a toda discussão. A lei da autenticidade não proíbe nada, mas nunca está satisfeita. Ela não exige que a palavra reproduza uma realidade prévia, mas que produza sua verdade, num desenvolvimento livre e ininterrupto. (Starobinski apud Blanchot, 2005, p. 65)

Autenticidade para respirar, para chorar, para ler devagar, para respeitar o próprio tempo em um novo experimento.

P — *Como é essa emoção? Para na emoção... Inclui a emoção no seu tempo, respira, não aperta, inclui e... respira... inclui a respiração e, no seu tempo, segue...*

Adriana — [suspira] *Pronunciando o nome completo ou o apelido reduzido define a posição dela nas relações que ela tem com o entorno.* [bufa] *A avó materna dizia que uma rainha da Holanda tinha o mesmo nome e isso lhe dava uma sensação* [chora copiosamente], *de novo me dá a sensação...*

P — *Vai suspirando, bufando, respirando e acha o seu jeito...*

Adriana — *... da sua importância no mundo. Acabou.* [risada]

P — *Nossa, não é emocionante? Sentiu como tem uma carga emocional nisso que você prejulgou protocolar, burocrático, sem poética? Nós fomos junto com você... Você gostou de ler?*

Adriana — *Sim.*

P — *Você gostou de ouvir?*

Juliana — *Falar da avó materna também é difícil.* [chora]

Adriana — *Depois que ouvi os outros textos, tive a impressão de que ficou muito curto.* [chora copiosamente]

P — Tem tanto aí. Acho que a gente, no fim desta jornada, pode fechar um pouquinho os olhos e ficar neste clima... que se fez aqui... caudaloso, de muitas águas e que é composto e compartilhado num ambiente de respeito, de compartilhamento genuíno. Acho que cada um aqui contribuiu com o melhor de si, com o melhor silêncio de si, com a alegria, com a fraternidade, e vamos ecoar esses nomes todos. Muito genuíno o seu texto... encarnado.

Adriana, Juliana, Carla, Thais, Lia, Gabriela, Juçara, Yasmin, Viviane, Eliana, Esmeralda, Bia, Fabiano, Zilmara, Leandro, Audra, João Renato. São as partículas desta célula que está pulsando muito forte e muito líquido.

Estou muito agradecida por esse tanto de autenticidade que a gente viveu aqui e, ao mesmo tempo, com um contorno muito bom. Acho que tudo aconteceu num campo que tem lugar para autenticidade, tem lugar para respirar, tem lugar para lágrima, para ler devagar, tem lugar para tomar o seu tempo.

Para terminar, todos são convidados a estar novamente em círculo, próximos uns dos outros, com o olhar voltado para o centro, apenas respirando. Nesse momento é preciso pousar, respeitando a qualidade do encontro. Então, ouvimos a nossa respiração e cada um escolhe uma palavra que fez parte da jornada. Primeiramente, cada um pronuncia a sua para os outros escutarem. Completando a volta no sentido anti-horário, todos dizem as palavras escolhidas, repetidas vezes, como uma música, como uma algaravia, um burburinho, até que o coro cesse por si. E as palavras são: anjo, emoção, importância, generosidade, raiz, terra, fatia, adorei, alegria, bárbara, espontâneo, destino, amado, revelação.

Sentindo o reverberar desses sons produzidos pelo acontecimento, o uníssono de uma única palma completa a imersão nos sentidos da escuta.

123456

[In]fluxo: corpo

> *Porque somos apenas*
> *Animais acossados*
> *Escrevemos as cavernas*
> *E os cadernos.*
>
> **Adília Lopes**, Z/S

～～～

O corpo. O que será o corpo? As células, os tubos, a bomba pulsátil, os músculos, os ossos, a árvore sanguínea, a respiração, o cérebro, o sistema nervoso, a camada de hormônios, a postura ereta, o reflexo do susto, o estresse, a estrutura rígida, a estrutura densa, a estrutura inchada, a estrutura em colapso. O corpo, anatomia viva interagindo continuamente, sem cessar, em seu complexo funcionamento, de onde a subjetividade e a escrita podem emergir.

Todas essas camadas de experiência e de compreensão foram provocadas nas atividades corporais propostas durante as "Oficinas Corpo, Escuta e Escrita — Experimentos Textuais Formativos". De muitas maneiras diferentes, com vários tipos de exercício formativo, cada participante vivenciou o reconhecimento de sua superfície e profundidade e de todos os elementos citados no primeiro parágrafo, que compõem justamente o sumário do livro *Anatomia emocional*, de Stanley Keleman (1992a). Portanto, anatomia emocional é a base dessa jornada grupal. Este [in]fluxo é dedicado a apresentar os principais conceitos e ferramentas do processo formativo por meio das práticas experimentadas nas oficinas. É a experiência que vai proporcionando o mergulho no método, e não o contrário.

Quando chegam à sala de práticas corporais (que nos dá as condições arquitetônicas fundamentais para os experimentos), os participantes já acordaram muito cedo, encaminharam assuntos domésticos e familiares e cumpriram uma primeira etapa da jornada de trabalho em seus vários campos de atuação, em ritmo acelerado, com várias interrupções por mensagens e ligações no celular. Ao chegar a esse espaço, iluminado apenas pela luz natural, tirar os sapatos e estender-se nos colchonetes dispostos em círculo, cada um vence seu piloto automático para interromper o fluxo produtivo habitual e entrar em outro estado de percepção de si mesmo, do que vai da pele para dentro, do que vai da pele para fora, do grupo, do mundo. Cada um lidando com seu ritmo e com a resistência que faz oposição ao convite para viver uma experiência nova, para sair da postura acadêmico-profissional.

P — *Bom dia! Que prova de amor. Está chovendo, está frio e vocês estão aqui!*

Carolina — *Em Santos, é o calor que faz a gente faltar na aula.*

Esmeralda — *No começo pensei: com tanta coisa para fazer, vou ficar aqui parada? Aí, lembrei que estar aqui conta créditos e aproveitei para me acalmar.*

P — *Vamos começar com uma prática bem minimalista para ativar toda a nossa anatomia viva.*

Ativando o pulso

Deitados de costas. Vamos começar sentindo o corpo no chão, as partes que tocam e não tocam o solo.

Como está o contato do crânio com o colchão?

Como estão seus ombros? Suspensos ou encostados no chão?

Como estão as asas, as omoplatas, em relação ao chão?

Coloque uma das mãos na boca do estômago e a outra na barriga.

Como está o contato da bacia com o colchão?

Deixe as pernas esticadas, percebendo o contato da parte de trás dos joelhos com o chão, da batata das pernas, dos calcanhares...

Vamos lembrar que neste momento nós estamos fortemente atraídos pela gravidade para estarmos na superfície da Terra. Estamos sendo sustentados...

O chão sustenta o corpo, as vigas do prédio sustentam o chão, o solo sustenta as estacas e o solo mais profundo sustenta as estruturas do prédio, que é um corpo de concreto da cidade, que tem salas... até chegar no limite do nosso corpo sendo sustentado por todas essas estruturas. A pele é um grande órgão, totalmente feito para a percepção, e da pele para fora, da pele para o mundo e do que vai da pele para dentro, para o interior do corpo (cérebro, sistema circulatório, digestivo, reprodutor, respiratório) e a subjetividade.

Sem pressa, só absorvendo essa sensação...

Vai percebendo conforme o ar entra e sai... se consegue sentir a pele do peito em contato com o avesso da roupa, a pele do tronco, a pele das pernas, dos pés, e note que, quando você respira, o corpo inteiro respira. Quando inspira, a pele se aproxima do tecido da roupa, e quando expira, murcha e o tecido cai sobre a pele.

Vamos colocar as mãos ao longo do corpo, com a palma virada para baixo... a sola dos pés apoiada no chão na largura do quadril, os pés nem fechados nem abertos demais.

Quando o ar sair, lentamente, como uma ventosa, aperte a palma das mãos e a sola dos pés contra o chão. Esse é um modo de perceber e ativar o pulso, isto é, o elemento básico que nos torna vivos.

Quando o ar sai, a ventosa aperta; quando o ar entra, desaperta.

Vai achando o seu jeito de fazer isso, pensando que a palma das mãos e a sola dos pés são ativadores e equalizadores dos seus pulsos internos.

Sem pressa, dando tempo para o corpo criar um ritmo, um fluxo.

Vai percebendo como está sua cabeça, seus pensamentos, se tem alguma eletricidade a mais na cabeça, vai percebendo seu peito, se está muito cheio ou não... se está apertado...

Vai percebendo a sua barriga, as vísceras e os órgãos que se acomodam nessa caixa que é a bacia e que está agora bem grudada no chão.

Pensa numa medusa que suga o ambiente, se desloca debaixo d'água e depois solta...

Vem alguma imagem? Alguma sensação? Alguma palavra? Alguma parte que esteja mais presente?

Continua respirando... quando o ar sai, aperta as mãos e os pés como ventosas...

Mais algumas vezes...

Agora, com essa experiência, novamente coloca uma mão no peito e outra na barriga e percebe que pulso há nesse lugar. E deixa de fazer...

Apenas receba o eito desta ativação.[4]

Para atrelar a experiência corporal aos conceitos do processo formativo, enquanto os participantes se apropriam dos efeitos dessa ativação, é feita a leitura de um trecho do livro *Anatomia emocional*. Assim, simultaneamente, as camadas de propriocepção — isto é, da percepção de si mesmo — e de escuta vão sendo intencionalmente sobrepostas, introduzindo os conceitos de base e ativando um certo tipo de imaginação, capaz de se conectar com superfície-profundidade, com os níveis macro/micro da existência dos corpos. Usando o instrumento da voz, emitida de forma lenta e modulada em tom firme, a pesquisadora faz a leitura de um longo trecho, passando um conteúdo didático, porém para corpos deitados, sem brigar com a força da gravidade, em outro estado de atenção, para que forma e conteúdo se interconectem. Afinal, estamos falando do corpo de cada um, não de algo abstrato.

≡ Anatomia emocional significa camadas de pele e músculos, mais músculos, órgãos, mais órgãos, ossos e a invisível camada de hormônios, bem como a organização da experiência. Estudos anatômicos tendem a utilizar imagens bidimensionais, ficando assim perdido o elemento mais importante: a vida emocional. [...] Sem anatomia, não há emoções. Os sentimentos têm uma arquitetura somática.
[...]
Em todos os níveis, a vida é um processo, uma cadeia interligando fatos isolados de vida diferenciados em formas específicas de existência, com um tema subjacente. O universo é um processo, um gigantesco evento organizado de existência, contendo micro-organizações. A sociedade, do mesmo modo, é um processo, uma forma contendo subpartes vivas. E cada um de nós é um processo, um todo constituído de eventos vivos, com um impulso para a organização. [...] A existência e a organização procedem de fora para dentro. Do grande para o pequeno. Os even-

---

4   Essa prática minimalista é resultado do trabalho de mais de 40 anos da psicoterapeuta Regina Favre em grupos de exercício no seu Laboratório do Processo Formativo. Saiba mais em: https://laboratoriodoprocessoformativo.com.

tos podem ser organizados de fora para dentro e de dentro para fora. Do pequeno para o grande, do geral ao particular [...] cada um de nós é uma cadeia de fatos vivos, uma rede organizada, um microambiente que compõe um macro-organismo. Desse ponto de vista, o corpo é um processo vivo, organizacional, que sente e reflete sobre sua própria continuidade e forma.

Como esses estados afetam uns aos outros? [...] Toda a vida é um processo. Esse processo é universal. (Keleman, 1992a, p. 12-17)

Iniciar a prática corporal dessa forma permite que, sem explicações prévias, o grupo mergulhe na experiência de forma delicada, e que, aos poucos, possa revelar-se potente como modo de conhecer o próprio corpo e aprimorar a percepção. A seguir, nós nos mantemos sentados em círculo, no chão, para colocar uma camada de linguagem, de fala, sobre o vivido. Uma síntese dos diálogos mostra o efeito dessa prática tão simples nesse processo de aprendizado e do cuidado de si:

(funcionamento integrado)
Rita — *Ao pressionar o pé, senti criar uma ventosa na lombar... eu sentia menos a ventosa dos pés e das mãos, a ventosa da lombar subia e ficava redonda, essa sensação de colar no chão cada vez que eu apertava o pé foi muito boa.*
P — *Sentir que uma parte do corpo conversa com a outra?*
Rita — *É.*
P — *Quem mais? Não precisa ser nada pronto. Somos uma sucessão de esboços...*

(inibir necessidades básicas)
Carolina — *Difícil porque está vento aqui e estou com sede e com vontade de ir ao banheiro...*
P — *Então, por favor, vamos falando de corpo com sede, frio, vontade de fazer xixi...*

(sensação térmica e enraizamento)

Lia — *Os pensamentos ficaram xuuuuuuuu... atrapalhando... conforme a gente foi fazendo o exercício de voltar para o corpo, fui dissolvendo, dissolvendo...* [faz com as mãos o gesto de abrir para o chão]
P — *Que gesto é esse?*
Lia — *De conexão com esse solo... do momento da gravidade...*
P — *Qual é o verbo para a conexão com o solo?*
Lia — *Enraizar?*
P — *O objeto voador que conecta com o solo... qual é o verbo?*
Lia — *Aterrissar...*
P — *Aí você foi chegando...*
Lia — *Fui chegando. Os pensamentos foram se acalmando...*
P — *Não é "como se" de fato, a sensação é precisa: os pensamentos foram se acalmando. E o peito, a barriga? Com os pensamentos mais calmos, mudou algo nessas duas bolsas?*
Lia — *Sim, porque eles também se acalmam. Senti também a própria temperatura do corpo cair. Senti frio.*
P — *Sim, quando a gente relaxa, muda a sensação térmica.*
Lia — *Quando deitei, éramos poucos, e quando abri os olhos a roda estava diferente, está cheia! Foi um susto.*

(pausa do código mental)
Carla — *Cheguei atrasada, e pra mim começou quando eu abri a porta e vi todo mundo deitado. Ufa! Cheguei com a cabeça muito cheia da manhã, estava na expectativa de emendar numa conversa, numa coisa mais rápida, trabalhar a cabeça e me ligar ali... aí, deitei e senti o pulso aqui assim, no pescoço. Acho que da agitação. Sentia bem na cabeça, tum-tum, batendo, bem aqui atrás. Eu estava agitada, cheguei na correria e fui relaxando e já ajudou a voltar.*
Eliana — *Foi muito bom. Acho que passei por alguns processos. No primeiro momento, a sensação do corpo foi intensa e foi se acalmando aos poucos. Durante a leitura, pude ver meu corpo como em um filme... olhando de cima, de fora.*

(sem metáforas)

Eliana — *Essa coisa de olhar de cima.*

P — *Como você viu seu corpo a partir desse ângulo?*

Eliana — *Pequeno... pude olhar do macro para o micro.*

P — *Essa conexão não é abstrata, é muito concreta a integração. Como há a organização dos tubos, das bolsas, tudo está integrado em cada um, todos viemos até aqui e cada um deitou e trouxe seu corpo de um certo jeito. E também está integrado nessa outra célula imensa, a biosfera. Eu quis indicar, com o texto e com essas impressões, que formamos um pensamento coletivo, que depois vamos usar nos nossos escritos. A gente está fazendo uma mirada sobre o corpo, e tudo o que a gente fizer aqui vai alimentar nossas escritas individuais e coletivas.*

(organização somática)

Marília — *Eu fiquei muito ligada nos comandos. Eu fiquei ligada nos barulhos internos. Ouvi a pulsação. A pulsação da barriga. E no meio do processo começou o barulho do celular. Nesse momento, você falou da questão dos tubos e das bolsas. Eu nunca tinha pensado no corpo como bolsas e tubos.*

P — *Sim, anatomicamente, somos constituídos por tubos dentro de tubos. Quero contar pra vocês que quando descobri essa constituição do corpo de tubos e bolsas eu fiquei apaixonada!*

Marília — *Nossa, é maravilhoso!*

As três bolsas que pulsam

O pulso, segundo Keleman (1992a), é basicamente organizado em três bolsas. A bolsa da cabeça, com seus pulsos elétricos, capaz de produzir simultaneamente milhares de sinapses, isto é, de estimulações nervosas que nos permitem falar, agir, pensar, digerir, realizar os movimentos voluntários e involuntários para a manutenção da vida; o pulso do peito, que abriga a bomba do coração e os pulmões, que bombeiam o sangue e o oxigênio; e o pulso abdominal, onde estão concentradas as vísceras, que têm ritmo mais lento e realizam os movimentos que permitem os processos de nutrição e excreção. "Esse bombeamento vai se tornar a base de muitas outras funções — troca de líquidos [...]"; "O sentimento e a postura, nosso verdadeiro *self*, são uma função da pulsação" (Keleman, 1992a, p. 26). Como travamos a luta com a sobrevivência, como desenvolvemos hábitos compensatórios aos aspectos excessivos dos ambientes em que vivemos, os pulsos são capazes de alterar a qualidade dessas várias pulsações simultâneas, necessárias para nos manter vivos.

(respiração e tabagismo)

Zilmara — *A coisa que mais me pegou foi quando você pediu para respirar... Fui fumante durante muito tempo e parei há dois anos. E eu respirava fundo no momento em que eu fumava. Tem todos os prejuízos, mas para mim acalmava, pois eu respirava diferente enquanto fumava. Por muitos anos, sair para fumar era sinônimo de respirar. Respiro muito curto e muito rápido, chego a perder o fôlego quando estou conversando. Aqui, percebi como não sei respirar e como, sem aquele cigarro que deixei de fumar, perdi aquele momento de calma.*

P — *Então, você acha que parar de fumar te fez parar de respirar?*

Zilmara — *Eu não paro para respirar, não cabe mais isso na minha vida. Agora que você pediu para respirar, tive muita dificuldade, fiquei tonta, mas fui em frente e percebi que tenho a necessidade de resgatar essa forma saudável de oxigenar, sem o cigarro. Preciso aprender a respirar fundo.*

P — *O que eu gostaria de reparar na sua fala é que talvez você tenha perdido o hábito de fazer pausas. Porque para fumar você não respira fundo, puxa veneno e fumaça que anestesiam os neurônios e provocam uma sensação momentânea de calma. Talvez você possa fazer pausas que não sejam pelo cigarro.*

Zilmara — *Para quem trabalha em período integral, o cigarro é desculpa para sair da função por alguns minutos.*

Lia — *Essa é uma pausa socialmente aceita. Se está com cigarro na mão, ninguém vai reparar.*

Rita — *É empresarialmente aceito. Se você é fumante, você tem o direito de sair para fumar. Se não é fumante, não tem o direito...*

P — *Sim, cinco minutos, três vezes por período. Então, a gente vai percebendo essas capturas...*

Carolina — *Eu não tomo café, então não tenho desculpa para a pausa... Eu nunca fumei, mas já invejei quem sai cinco minutos porque precisa fumar um cigarro.*

P — *Você pode falar: vou respirar... e depois você volta...*
Rita — *Mas respirar pode respirar aqui mesmo...*

Nesse breve extrato, fica claro quanto o corpo dos profissionais de saúde prioriza o ritmo de trabalho e as condições socialmente aceitas em prejuízo dos ritmos biológicos, até mesmo do mais básico, o respirar. E quanto é preciso restaurar intencionalmente a qualidade de vida a partir do direito a cultivar esses hábitos, incluindo as pausas nas longas e exigentes jornadas de trabalho (tema que será retomado no [in]fluxo "Formando quem cuida de cuidar").

Outra prática corporal enraizada no processo formativo consiste em experimentar a relação do corpo contemporâneo com movimentos dos nossos ancestrais — peixes, répteis, macacos — e também com os estágios que vivenciamos na infância, do rastejar aos primeiros passos. Essa é outra forma de experimentar o pulso, característica basal de todo ser vivo. Novamente, a consigna é simples, transmitida com voz lenta e firme, encadeando os gestos evolutivos até a postura ereta e propondo pausas para captar o registro de aspectos corporais antigos ou novos.

P — *De barriga para baixo, pés para o centro... rosto apoiado de lado, braços ao longo do corpo, tirar os óculos, cabeça de lado... Só para perceber como a frente fica em contato com o chão e como o corpo tem volume... Vou tocar as costas de vocês, apenas para dar noção da altura... Vão percebendo como está o peito, a barriga e que o corpo tem uma frente, tem volume que ocupa lugar no espaço. E continuamos.*

Todos se deitam com peito e barriga encostados no chão, sentindo o contato da frente do corpo com o solo. Os braços estão estendidos ao longo do corpo. A respiração deve ser natural, a pessoa apenas sentindo que quando inspira a frente pressiona o chão e quando expira, soltando todo o ar, essa pressão cede. Essa consigna é repetida algumas vezes. Na sequência, as mãos vão para a lateral das orelhas, as pontas dos dedos dos pés apoiam-se no chão e a cada inspiração as mãos devem fazer uma ventosa contra o chão. Esse movimento é ampliado, sugerindo o rastejar, como se a pessoa quisesse rastejar se deslocando, mas não se desloca. Lembra o movimento dos lagartos.

P — *O microgesto, a sugestão do rastejar, é ativador dos pulsos que queremos experimentar. Isso é repetido algumas vezes. Vai e volta, levantando um pouco a cabeça, primeiro para o lado, depois olhando para a frente, imaginando que está indo na direção de algum objeto. Pare um pouco e receba o efeito dessa ativação.*

Depois de alguns minutos, a proposta é que os participantes experimentem todos os estágios até chegarem na postura ereta, até os primeiros passos, como fizeram nossos ancestrais há mais ou menos 5 milhões de anos, quando a espécie se tornou bípede e conseguiu sobreviver a mudanças climáticas e fazer deslocamentos.

P — *Leve o quadril na direção dos calcanhares, deixe os braços ao longo do corpo e experimente ficar na chamada "posição de semente". Em seguida, o mais lentamente possível, tente ficar de cócoras, com as solas dos pés apoiadas no chão. Perceba como isso alonga a região lombar. Bem devagar, levante o quadril em direção ao teto e, dobrando os joelhos, desenrole a coluna, vértebra por vértebra, a cabeça é a última que chega. Bem devagar, quanto mais devagar, melhor.*

Direcione o olhar para o mais longe possível, mantenha o queixo paralelo ao chão e perceba: os pés estão sobre o chão, as pernas estão sobre os pés, a bacia está sobre as pernas. Depois vem a caixa torácica, formada pelas costelas. Perceba os ombros, o pescoço sobre os ombros, a cabeça sobre o pescoço... a caixa da bacia, a caixa do peito, a caixa da cabeça, como essas bombas pulsáteis se organizam, umas sobre as outras.

Voltado para o centro da roda, feche por um instante os olhos e faça um download *desse corpo que está vivenciando nesse instante. Como Keleman apontou no texto lido, salve esse fotograma do seu filme, um fragmento desse esboço contínuo que é o corpo.*

Perceba cabeça, peito, barriga, perceba se pode alterar alguma forma. Perceba se pode estar mais alinhado com a gravidade...

Para acrescentar uma camada de linguagem, para compreender com a palavra encarnada, cada participante escolhe um verbo no gerúndio no intuito de batizar esse corpo que encontrou durante a interação, fixando no corpo essas percepções despertadas — que são individuais, mas também fazem parte do corpo coletivo, do corpo do grupo.

— *Vibrando.*
— *Zanzando.*
— *Sustentando.*
— *Flutuando.*
— *Percebendo.*
— *Digerindo.*
— *Equilibrando.*
— *Aprendendo.*
— *Ocupando.*
— *Sentindo.*
— *Aliviando.*

Aproveitando a qualidade de presença conquistada até aqui, a proposta seguinte é desenhar o próprio corpo, assim como está sendo percebido no momento. Cada um escolhe um giz e faz esse registro de si na parede-lousa, que será o suporte para o registro da expressão grupal dos corpos que captamos durante o encontro.

≡ Somagramas são imagens somático-emocionais que revelam a camada pública ou a privada. [...]
[...] Mostram uma situação atual, como você sente internamente, onde está ferido, precisa de ajuda, o que pensa e sente sobre você mesmo. [...]
[...] O cérebro organiza e forma quadros, símbolos e configurações para organizar forma e significado. Somagramas, portanto, são uma linguagem natural.
[...] Para desenhar um somagrama, retrate-se do modo como você se vivencia, não como trabalho artístico elaborado. (Keleman, 1995, p. 70-71)

A maioria reage à proposta com a negativa: "Não sei desenhar!" Porém, minha afirmação de que, depois dessa ativação do pulso, a mão sabe produzir uma representação do corpo fiel ao que estão vivendo, que não importa a estética do desenho, o que encoraja os hesitantes a prosseguir. Em um silêncio muito vibrante, todos se dirigem à parede para desenhar seus primeiros somagramas. Em poucos minutos, surge ali uma variedade de desenhos que revelam as condições emocionais de cada um e do grupo.

Em grandes linhas, essas figuras também confirmam a percepção inicial da pesquisadora sobre os corpos densos, sobrecarregados.

O somagrama é um mapa de reconhecimento dos próprios padrões de comportamento.

Com os somagramas desenhados, o grupo pode experimentar outro conceito-chave do processo formativo — o cocorpar. Isto é, imitar a forma que acabou de ser desenhada, para que o cérebro possa rebater aquela imagem, criando uma alça de *feedback*, ou seja, um retorno, uma projeção que facilite a introjeção daquele mapa somático-emocional captado no desenho. Como estamos em grupo, e para não individualizar a experiência, a proposta é escolher um desenho de outro participante e imitar aquela forma.

Desenhar e redesenhar

Como mais uma camada somática e de linguagem, em seguida os participantes são convidados a repetir o desenho do somagrama em seus cadernos, corpar a própria forma e fazer um texto breve, uma nota, voltando à individualidade da experiência. A ideia é alternar o âmbito coletivo com a intimidade da própria experiência.

 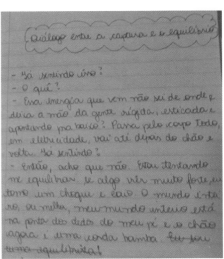

O somagrama feito na grande lousa é repetido no caderno e, em texto, surge uma nova camada de compreensão: a descrição do que acontece no corpo.

O mesmo desenho é repetido no caderno, e dessas várias percepções surge um texto criativo, um diálogo entre a captura e o equilíbrio:

— *Está sentindo isso?*

— O quê?

— Essa energia que vem não sei de onde e deixa a mão da gente rígida, esticada e apontando para baixo? Passa pelo corpo todo, em eletricidade, vai até depois do chão e volta. Tá sentindo?

— Então, acho que não. Estou tentando me equilibrar. Se algo vier muito forte, eu tomo um choque e caio. O mundo inteiro, ou melhor, o meu mundo inteiro está na ponta dos dedos do meu pé e o chão agora é uma corda bamba.

Construir um diálogo a partir da "conversa" corporal do experimento é uma captação da autora, que é artista e funcionária administrativa concursada da prefeitura. Esses desenhos e o texto contemplam justamente essa dualidade e a tensão necessária para estar no mundo, no mundo produtivo, que ameaça derrubar e exige um esforço constante de se manter na linha, uma tensão na bolsa da cabeça, que concentra os órgãos dos sentidos, e nas pontas dos dedos, que gera uma tensão elétrica intensa para que seja possível seguir na "corda bamba".

Escrita de si

Em outro exemplo, repetem-se os registros e o texto traz esse corpo dolorido, pesado, no esforço contínuo de sustentar a presença. Uma breve descrição corporal e da experiência recém-vivida.

O mapa do corpo.

A autora, que é terapeuta ocupacional e trabalha no Núcleo de Apoio à Saúde da Família (Nasf), em Santos, relata:

— *No primeiro momento, o corpo era pesado. Um peso que tem me acompanhado sempre, como um peso em digerir a comida, digerir palavras ditas e não ditas, ouvidas. Hoje, durante a atividade, em todas essas partes, esse peso me acompanhava. Mas não só esse peso, mas o que tem me custado sustentar essas presenças onde estou.*

Digerir, estou finalmente digerindo, entrando em contato com esse corpo que está tão cansado de estar.

Ao ser solicitada a deixar a mão guiar minha forma, sou levada a fazer algo que nem entendo o que é, mas que tem um ponto aberto, que ainda consegue trocar.

Ao imitar a imagem do outro, sinto dor, flutuar e me manter flutuando me gera dor. Como faço isso e sustento o sorriso do desenho?

Por fim, acaba essa dor e posso novamente rever minha forma, que estava há tanto tempo precisando encontrar. Agora me sinto conectada, conectando.

Em comum, os dois conjuntos de textos e somagramas evocam, de diferentes formas, o verbo "digerindo", o que possibilita inferir que estar em contato com o próprio corpo e fazendo todo o processo de perceber todas as suas partes e perceber-se como parte de algo maior é importante para o prosseguimento da vida dessas pessoas. Uma medida de saúde, uma micropolítica de resistência para digerir as capturas do mundo capitalista em que estamos mergulhados, para fortalecer as ações diante das instabilidades. As demandas da rotina e o ritmo acelerado roubam essa percepção vital, essa possibilidade de contemplação. E o corpo fica presente apenas quando dói.

Além da função de registrar uma memória, a inscrição desses momentos no caderno de notas é em si um modo de produzir corpo, de produzir o cuidado de si. Assim, essa produção escrita é etopoiética, isto é, produz um registro social, como meditação, facilita pensar sobre si. A palavra, cunhada por Plutarco, faz parte dos textos de Epiteto, ambos filósofos gregos que já praticavam a etopoiética no século I da era cristã. Novamente, assim como o desenho do corpo, usamos outra linguagem natural como ferramenta de ativação do processo formativo.

Pulsando no aquário de medusas

Foram muitos os modos de estimular a pulsação e de perceber os movimentos das bombas pulsáteis na bolsa da cabeça, na bolsa do peito, na bolsa da barriga. Segundo Keleman, a pulsação é a ação mais básica de todo ser vivo, e, de formas variadas conforme a espécie, fazemos movimentos de bombeamento como a água-viva. Essa capacidade pode ser observada em todos os órgãos e em todos os músculos e dá a cada organismo a possibilidade de alterar seu próprio movimento (Keleman, 1995, p. 36).

Mas como, literalmente, corporificar a experiência?

P — *Começamos em círculo, voltados para o centro, e cada um vai sentir o pulso pegando na veia do próprio pescoço ou do próprio punho. Quando todos sintonizarem esta batida, a proposta evolui: agora se pega o pulso do colega. Nesse momento, equalizamos nossa realidade: a de estarmos unidos porque pulsamos. Há inúmeras diferenças entre nós, mas o pulso unifica a nossa qualidade de seres vivos, em ato de viver. Estamos continuamente contraindo e expandindo.*

Temos uma membrana, uma borda, formada pela pele, que separa o que vai do mundo para fora e o que vai da pele para dentro. Isso acontece desde a célula mais simples até o nosso corpo todo, que é complexo, com vários sistemas interligados.

Na sequência, o convite é para que um ofereça o pulso e o outro apenas sinta esse continuum *de contração e expansão. De olhos fechados, sinta o próprio pulso e também o do outro, escute a própria batida e a do outro. Novamente voltamos para o círculo.*

Depois de alguns minutos, podemos sentir que, via contágio, as ondas pulsáteis foram se equalizando e há um pulso grupal, coletivo, em andamento.

O pulso acelerado de alguns ficou mais lento, enquanto a pulsação lenta de outros tornou-se mais rápida.

Então, neste mundo de tanta incerteza, o pulso é contínuo.

Todos estão sentindo?

— Sim.

Simão — *O meu pulso estava rápido e agora está mais lento.*

Rita — *Incrível sentir que sintonizamos.*

P — *Ao mesmo tempo, perceba como está o contato com o chão, a organização do corpo... pés... pernas... quadril... costelas... ombros... pescoço... cabeça. E vamos colocar mais uma camada de experiência: uma palavra que descreva o que está acontecendo com seu corpo agora, uma camada de linguagem nesse experimento, que descreve o que está acontecendo em seu corpo neste instante.*

— *Pulsando.*

— *Batendo.*

— *Equilibrando.*

— *Sentindo.*

— *Fluindo.*

— *Vivendo.*

— *Tiquetaqueando.*

— *Soltando.*

— *Voltando.*

— *Apertando.*

— *Abrindo.*

Para intensificar ainda mais essa percepção corporal primordial, o experimento passa para uma nova etapa, na qual, ao "enfatizar padrões internos de apertar, pressionar, relaxar, adquirimos conhecimento sobre excitação, estímulo e sentimentos" (Keleman, 1995, p. 37). Ao experimentar fazer mais ou menos pressão sobre si, juntar, contrair e expandir, é possível reconhecer como organizamos as respostas comportamentais aos ambientes, sejam eles internos ou externos.

Evocando o aquário, por meio de um vídeo que mostra medusas em deslocamento no mar,[5] com a sala a meia-luz, realizamos o experimento, que torna possível tomar consciência dos efeitos de produzir pressões sobre si para modular graus de excitação e manter os ritmos de contração e expansão em todo o corpo. Primeiramente, o grupo assiste ao vídeo e, digamos, faz uma imersão nessas imagens aquáticas, de muitas medusas nadando

---

[5] Disponível em: https://www.youtube.com/watch?v=uNsrXzY3Mgc. Acesso em: 18 set. 2023.

livremente, contraindo-se e expandindo-se, produzindo deslocamentos, ao mesmo tempo "bebendo e babando o ambiente" (Favre, 2010).

P — *De novo, em círculo, agora com a sala a meia-luz e depois de assistir ao vídeo das medusas em* slow motion, *o convite é para caminhar numa atitude pulsátil, como se fôssemos uma colônia de medusas. Para isso, vamos caminhar deslocando apenas meio passo de cada vez, percebendo o ar que entra e que sai do corpo, o deslocamento sobre a superfície do chão...*
Quando inspiramos, fechamos as mãos, o pulso ganha uma verticalidade; quando expiramos, abrimos as mãos, o pulso cede na horizontal, dando meio passo. O deslocamento se dá de forma muito consciente, lenta, transferindo o peso de uma perna para a outra, deslocando poucos centímetros. Quando o pé é apoiado, é possível sentir o chão, a força da gravidade, até transferir para o outro pé, o próximo passo.
Assim, vamos andando em cima do planeta... Inspirou, contrai meio passo; expirou, sola do pé no chão, expande... Alguns estão inspirando, chupando o ar, unindo as partes... outros estão expandindo, soltando o ar, dando mais espaço entre as partes...

Essa relação consciente e intencional com a gravidade é fundamental para a organização corporal e, portanto, para a forma de perceber o mundo e de manter a funcionalidade de todo o organismo. Keleman faz uma relação muito precisa entre a ação da gravidade nos corpos e os padrões de comportamento:

- A gravidade exerce uma pressão de 7 quilos por 2,5 centímetros quadrados, à qual temos que resistir. Temos que ser sensíveis à pressão criada pelo mundo ou por nós mesmos. Sob grande pressão, nos tornamos compactos e densos; sob pouca pressão, inchamos como um baiacu. Se a pressão se acumula gradualmente, em ambos os sentidos, as membranas se espessam. Se a pressão na parede externa é insuficiente, nos expandimos. Se as membranas são frágeis, extravasamos ou simplesmente explodimos. Se a pressão é rápida e repentina, as membranas se enrijecem como barras de aço. O reconhecimento contínuo da pressão e a acomodação a ela devem permanecer constantes para se manter uma identidade. Se a anatomia da célula é alterada consistente ou abruptamente, sua identidade também se modifica. (Keleman, 1992a, p. 20)

Depois de alguns minutos nessa experiência de lentidão e deslocamento minimalista, estamos mesmo todos em um aquário. Não é metáfora a experiência densa que se desenrola. São emocionantes as expressões vivas que surgem a cada passo, com o descansar em movimento que esse coletivo produz. A pesquisadora afeta e é afetada celularmente, mergulhada nas maravilhas da pesquisa viva.

Voltamos a nos sentar, cada um faz um somagrama e uma série de diálogos e textos que vão aprofundando a compreensão da experiência e, ao mesmo tempo, colocando em movimento a escrita.

P — *Como está sua qualidade de presença agora?*

Leandro — *Paz! Tudo deu uma baixada, mas a cabeça está acelerada pensando em tarefas para cumprir. O corpo está de um jeito e a cabeça está de outro.*

Zilmara — *Estou igual ao Leandro...*

Lia — *Eu sinto que meu corpo foi ativado, estou mais relaxada, mas pensando no que vou ter que resolver à tarde.*

Juliana — *Sempre chego aqui vinda da aula, agitada, o meu dia já começou faz tempo e dei uma assentada. Estou aqui. Centralizei mais aqui.*

P — *"Aqui" é uma boa palavra.*

Eliana — *O processo me fez lembrar de rir. Ao sentir o pulso, não senti um tique-taque, senti como se tivesse um rio, senti a pulsação da correnteza. Uma percepção integrada energética, incorporada. Escrevi: "Rá-tim-bum jogava no rio, procurando a presença em mim dentro e fora. Só há um fora, buscando dentro. Só há um dentro quando na instabilidade do instante ainda há um canto de ser. Riso de estar no rio. Rio sendo da vida".*

P — *Você tocou na alma deste trabalho. O incorporar. A sensação corpórea do riso e de incorporar essa sustentação interna para sustentar o externo. E incorporar o externo para sustentar o interno. É um jogo de "beber e babar". Aqui a gente está bebendo dessa experiência e vai babando quando você faz o* seu solo e mostra o seu desenho e lê o seu texto e compartilha, você está babando e nós estamos bebendo... e vai se produzindo algo vivo, que não existia uma hora atrás. O texto também é esse babar. Afinal, tudo isso que a gente ouviu, no mestrado, no doutorado, seja lá onde for, o texto é essa baba, o texto é essa produção, pegamos durante vários semestres, mastiga, mastiga e... produz.

Lia — Estou voltando de um retiro de isolamento para escrever o texto para o exame de qualificação. Estou muito nessa relação do inconsciente, que é uma relação muito preciosa. Me identifiquei com essas medusas, esse silêncio... eu queria estar lá... num movimento total de dissolução de palavras. E o texto ficou assim: "No fundo do mar não há palavras digitadas, precisas, violentas, amorosas ou autoritárias, receptivas. No fundo do mar não há palavras, o silêncio é o que pulsa e o que move e dissolve. As palavras são pulsações. São pulsações e sensações. Sensações que pulsavam se dissipando, tornando-se também movimento... Transformam-se em anêmonas, medusas, águas-vivas. Águas. Vivas que pulsam, que pulsam em silêncio. O fundo do mar é também o cosmos onde nada habita, onde o silêncio se dissolve".

P — Esse contágio todo do pulso e da imagem foi trazendo um vocabulário também aquático. De fato, intensificamos nossa relação com a gravidade para ativar uma camada mais sensível do cérebro, o cérebro límbico, da emoção. Você acha que as oficinas te ajudam no seu escrever?

Lia — O fato de eu gostar muito de vir pra cá, de ser um momento... esse é o maior significado do impacto. Não necessariamente relaciono à oficina, mas chego aqui e acrescenta, e é prazeroso receber e praticar esse conhecimento. Cheguei aqui, foi muito prazeroso, depois desse processo de receber... desse *download* de conhecimentos...

P — Já estamos no sexto encontro. Já passou o impacto da novidade, do assunto, do modo, da formulação... nós já estamos nadando na mesma água há três meses e aí começamos a poder dar esse mergulho.

Viviane — Desde o começo do deslocamento até agora, me senti muito um alargamento e uma verticalização, principalmente aqui na garganta, me senti muito alta, como se eu estivesse andando com salto alto, mas para além da materialidade das coisas. E a presença das mãos... uma presença, uma certa prontidão para o que vier. É uma percepção de vibração, de ganhar uma presença muito grande nas mãos. E as pernas muito titubeantes, com os joelhos *travados. Na hora em que eu me sentei, a percepção do ventre, da digestão, acordou. Mas foi ao me sentar e escrever: "O ovo ingerido se fez peso. Peso, presença atenta, lugar onde o ar não chega. Na garganta, outros ovos — presenças airadas, de germes de palavras e gestos livres. As mãos expandidas respondem a essa conexão. Tilintam sons no movimento, também germinando, também manifestando a sua existência. Talvez com os pés o diálogo se fez mais evidente. Pés buscando apoio, mas reconhecendo os joelhos travados..."*

Marília — *Eu cheguei aqui e já tinha feito muita coisa no dia... para mim e para os outros... E logo que cheguei para fazer o exercício do pulso e você falou do pulso dela, que não estava rápido, mas estava forte... Aí pensei que talvez eu não precise de rapidez, talvez eu precise de força.*

P — *Aqui?*

Marília — *Aqui e para o dia, fez muito sentido reconhecer as direções com pulso e ritmo. Isso veio com o deslocamento. Escrevi um texto que não tem meu estilo habitual de escrita. É novo: "Aperta, sorri. Atente-se. Comente-se. Empina. Solta. Espera. Goza. Endurece. Desfaz. Intimida. Desfaz. Invade. Esquece. Pisca. Chora. Penetra. Atravessa. Reprime. Deixe. Ponta. Ensurdece. Vê. Cala. Vai. Fica".*

P — *Vai engolindo a sua saliva... põe os pés no chão... vai dando esse tempo para você digerir esse lindo texto que você fez, a partir de sensações corpóreas muito fortes e definidas, e vai achando esse lugar em que a saliva pode descer e a garganta pode não apertar. É possível?*

Marília — *Sim.*

Adriana — *Para mim ficou interessante experimentar a horizontalidade e a verticalidade, trabalho muito isso com os alunos de educação física. Inspiro, conecto; expiro, diluo. Não no sentido de fracionar, mas de espalhar, de compartilhar. Ficou muito forte isso pra mim.*

P — *Uma coisa é trabalhar a verticalidade e a horizontalidade como linhas. Outra é experimentar incorporar pulsos, pulsos verticais, pulsos horizontais, e o tempo todo a gente está nesse jogo de vertical e horizontal. Para a gente sobre o planeta, estamos nesse jogo. Mas não é só linha, não é um palitinho... é por dentro, é um pulso (vertical) que faz tum-tum-tum e um pulso (horizontal) que faz tum-tum-tum. Quando experimenta incorporar isso, você ganha a conexão, a presença.*

Adriana — *E ganha uma tridimensionalidade.*

P — *Exato.*

Adriana — *É, a gente não é um papel, com frente e verso.*

P — *Não. Somos holográficos, 3D, temos volume e recheio. O volume da bolsa da cabeça, o volume da bolsa do peito, o volume da bolsa da barriga. Essas três bolsas formam a bomba pulsátil.*

Adriana — *Aí fiquei arredondada e o texto pôde ser uma música:*
"Vertical.
Horizontal.
Inspirar.
Expirar.
Inspira na vertical — conexão.
Expira na horizontal — compartilhar.
[...]
Pé, cabeça
Mãos
Água, ar, fluidez
Topo da cabeça nos céus
Pés bem firmes nas profundezas da terra".

Rita — *Me senti conectada por dentro com o ambiente, mas minha cabeça estava absolutamente vazia, leve. Esqueci do mundo. E senti que havia um movimento nos meus órgãos, um fluxo entre eles. E tinha uma força nos pés, sensação dos pés no chão.*

P — *Então, você teve a experiência* ecto*, a* endo *e a* meso *nessa ativação. O muscular da ação, a motilidade das vísceras e a eletricidade da bolsa da cabeça. Essas são as camadas embriogenéticas, isto é, formadas no embrião humano, estudadas por Keleman para cunhar o conceito das três bolsas que formam a bomba pulsátil, como vimos.*

Rita — *E o texto foi pro mar: "Dentro do mar, nadando e pulsando com as medusas. Águas-vivas deslizando no espaço. O pulso impulsionando passos, ossos, juntas, os órgãos em movimento dentro do corpo, deslizando uns sobre os outros com a pulsação. A pele que sente o ar e protege os músculos do frio e aquece os pés e as mãos, o pulso que se desloca no mundo exterior, que equilibra e desequilibra no caminhar livre e atento. Um cardume de águas-*

-vivas que deslizam no aquário de luz azul. Não sei se cardume é coletivo de águas-vivas, enfim, teve um momento em que estava mesmo um cardume, um aquário".

Nesses vários experimentos pulsáteis fica evidente como os mesmos convites e enunciados provocam efeitos diferentes em cada corpo, em cada estrutura. A percepção das bolsas, dos vários tipos de pulso, da relação com a gravidade torna possível aproximar cada um de seu próprio corpo, com uma percepção mais fina das alternâncias entre contração e expansão, da transferência do peso de um pé para o outro no deslocamento, nos sentidos concentrados na cabeça, no pulmão e no coração (na bolsa do peito) e nas vísceras (na bolsa da barriga). A vitalidade dos textos produzidos depois da ativação sedimenta uma camada de linguagem à experiência corporal, agora conectada com a essência da vida: o pulso contínuo, suas variações e a percepção de que pode ser uma ferramenta para construir a própria presença e o próprio texto.

Corpo da/com/para a escrita

Como parte da busca da percepção de si no processo de escuta e escrita, os participantes são convidados a visitar seus bloqueios de escrita. Para isso, a pesquisadora escolheu aplicar o método dos cinco passos, um conceito central no processo formativo, descrito por Stanley Keleman (1995) em seu livro *Corporificando a experiência*, publicado dois anos depois de *Anatomia emocional*. Então, a esta altura, este livro vai sendo tecido com um urdir de metodologias: os planos de aula, os rituais das oficinas e, por fim, o método cartográfico, que envolve os elementos anteriores em uma unidade viva e pulsante, provocando encontros em quem faz a leitura.

Bloqueios de escrita

O bloqueio de escrita é justamente aquele estado em que o que está no corpo, que é morada da mente — portanto falamos de instâncias inseparáveis —, não consegue uma via de expressão. É uma escolha não entrar na definição formal do que seja um bloqueio de escrita, pois considera-se que sejam singulares, únicas e intransferíveis as formas de escrever e também de bloquear esse ato de alcançar o mundo para além das fronteiras pessoais, já que escrever pressupõe outros, os leitores.

Estar em uma classe com cerca de 20 pessoas (a essa altura, alguns já haviam deixado a nossa nau), problematizar os bloqueios de escrita de forma individual e aplicar o método dos cinco passos representou um desafio com múltiplas tensões.

Como fazer essa abordagem individual de modo que o participante não se sentisse constrangido em expor seu bloqueio, sua limitação? Como realizar a prática do método dos cinco passos, que tem seu tempo e suas sutilezas, com apenas um participante, conduzindo a intervenção e, ao mesmo tempo, mantendo a atenção das outras 19 pessoas? Como aproveitar essa intervenção para compartilhar o método de forma didática, multiplicando para todo o grupo as possibilidades de lidar com os bloqueios de escrita?

E por falar em bloqueio: acostumada a lidar com grupos pequenos e a fazer intervenções na clínica individual, sem plateia, essa abordagem dos bloqueios de escrita foi um desafio para a pesquisadora. Talvez o maior em todo o ciclo das oficinas. Não restou alternativa a não ser compartilhar a insegurança nesse experimento, feito com tantas novas questões, não apenas clínicas, mas didáticas. Contar isso ao grupo teve efeito calmante e aumentou a confiança de estar no lugar do professor, do corpo mais formado do professor que convida e ativa o corpo menos formado dos alunos para ampliar e trocar conhecimento. Ali, em ato, a pesquisadora estava também no "Como eu faço o que eu faço?", realizando a intervenção e, ao mesmo tempo, intervindo no próprio processo de desbloquear-se para conduzir a aula. O momento intenso impediu a produção de fotos e ficou claro que há limites na simultaneidade de produzir a cartografia do acontecimento.

De início, uma breve introdução sobre Stanley Keleman, terapeuta autodidata e escritor que sistematizou um método da anatomia do vivo, do nosso corpo em ato — não a anatomia do corpo morto, de outro. Então, ele formula o método dos cinco passos, algo que pode parecer muito americano, mas que tem um propósito bastante alinhado com o modo de o corpo se produzir. O que está por trás desses cinco passos é o modo como cada célula se multiplica.

Keleman entendeu isso estudando biologia molecular. Portanto, esse método não é autoajuda, que sugere ações de fora para dentro; ao contrário, acessa a capacidade de cada um de mobilizar ações de fluxo de dentro para fora.

O método dos cinco passos

O primeiro passo pergunta: o quê?

Então, o que você quer cuidar em você? Vamos focar, ajustar a lente para saber em qual ação precisa vamos fazer a intervenção corporal.

No nosso caso, a pergunta é: o que estou fazendo? Escrevendo.

O segundo passo pergunta: como é?

Como você escreve o que escreve? Como bloqueia a sua escrita?

Vamos passar bastante tempo nessa reflexão-corporal; sim, vamos aprender a refletir com o corpo todo, e não apenas racionalizando.

O terceiro passo pergunta: como paro e me percebo no ato de bloquear, de querer escrever e hesitar, e paralisar e sofrer?

Essa parada tem uma forma, e vamos experimentar intensificar essa forma corporal e desintensificá-la lentamente, em graus, várias vezes.

Nesse vaivém das formas, é possível perceber claramente o "como eu bloqueio".

O quarto passo pergunta: o que acontece quando paro de fazer essa ativação?

O quarto passo é uma espera, para a percepção das respostas do corpo a essa intervenção que mobiliza, muscular e voluntariamente, as formas corporais que expressam comportamentos. Nessa etapa, nomear o acontecido ajuda a corporificar a experiência.

E o quinto passo pergunta: como uso o que aprendi nessa ativação para dar fluxo, no caso, à escrita?

É o momento em que algo de novo acontece, formando uma nova camada sobre o comportamento anterior, digamos, limitado.

≡ Quando você para, inibe, desfaz padrões de ação estabelecidos, há muito tempo automatizados e profundamente enraizados, você experimenta um profundo despertar somático de sensações e sentimentos — poderosas correntes de respostas não verbais. Esse "Ah!" é chamado de *insight* ou intuição. Essas respostas são acontecimentos internos profundos, representativos de um outro estágio de auto-organização. (Keleman, 1995, p. 23)

Audra — *E ele fez tudo isso para quê?*
P — *Para tudo. Por exemplo, a pessoa chega e diz que não consegue embarcar em avião. Então, vamos exercitar esses passos para desencadear processos formativos, novas conexões neurais que possibilitam mudanças pequenas, porém capazes de alterar um comportamento enraizado, de promover uma nova auto-organização que inclua viajar de avião sem entrar em pânico, sem desistir da viagem. Para reconhecer como faz o que faz e encontrar novas possibilidades. Pequenas alterações da forma, que são feitas pela ação muscular voluntária, podem transformar comportamentos limitantes ou fazer a conexão com comportamentos que estão pedindo passagem para que a vida continue prosseguindo. Muitas vezes, a psicoterapeuta Regina Favre, em seus seminários, cita a frase de Keleman "O negócio da vida é a vida" [em inglês, "The business of life is life"]. Importante saber que forma é comportamento, comportamento é forma.*

O método dos cinco passos é o modo sistematizado por ele para entrar, para intervir na forma de cada um. Não é uma forma idealizada, não tem receita, não tem certo e errado, nenhum é igual ao outro. E não é uma mágica: a ativação provoca efeitos, ações musculares que são sementes que, se cultivadas, podem vingar, expressando novos comportamentos. Em seus seminários de biodiversidade subjetiva, Regina Favre chama a atenção para o vocabulário agrário, da natureza: "cultivar" [em inglês, to grow] é o verbo para o que se quer do corpo, que faz parte da ecologia.

Pausar, intensificar e desintensificar as formas é um modo de restaurar o bombeamento nas três bolsas — cabeça, peito, barriga; um modo de restaurar um fluxo. Como não somos máquinas, isso também estabelece um fluxo de desejo, de organização, de percepção da realidade, de coisas que a gente não conseguia perceber antes... Tudo isso acontece aqui, e a matriz para isso é a forma como as células se desenvolvem. Isso é interessante, porque não é nada que o corpo já não saiba e já não faça. É só uma consciência que a gente pode imprimir para fazer isso intencionalmente, como uma intervenção específica.

Enquanto estamos aqui, o corpo já está fazendo, mas, como a gente tem muitas camadas, ossos, músculos, pele, fáscias, hormônios, sinapses, tônus, o efeito do ambiente, tudo isso vai formando quem a gente é. Todo o corpo está ativado de modo a sustentar essa presença — tensa, desmanchada, atenta, distraída, contrariada, receptiva e assim por diante. Tudo isso acontece desse modo primordial, que é muito construtivo e ajuda na hora de enfrentar um fazer, uma ação que a gente quer desbloquear, aprimorar, facilitar ou criar.

Como somos muitos... tenho um pouco de medo de fazer isso tudo com cada um e ficar chato para os outros. Então, quem está assistindo deve perceber como isso acontece no corpo do outro e o que vai se desprendendo em si. Um dos pilares do processo formativo é justamente a imitação. Se eu quero entender como o outro escreve, posso imitar. Os corpos se imitam desde sempre. Peço que, enquanto estiver focada na pessoa, cada um vá percebendo as respostas em seu corpo e vá anotando. Vou chamando a atenção para poderem apreciar como é a intervenção formativa. Acho importante sair desse processo das oficinas com a consciência bem clara do que bloqueia, como bloqueia e como sair do próprio enrosco. Um voluntário?

Restaurando o fluxo do escrever

Carla se prontifica e inicia as várias intervenções para cuidar dos seus bloqueios de escrita. Aqui, apenas esta é descrita detalhadamente:

P — *Gostaria que você descrevesse, minuciosamente, como você escreve. É uma descrição corporal. Se nunca pensou nisso, pensa agora. Quando você escreve, como você escreve?*

Carla — *Posso descrever um sentimento?*

P — *Prefiro que você descreva a forma.*

Carla — *A forma do corpo quando eu escrevo?*

P — *É. Quando eu escrevo, onde estão e como estão os meus olhos? Onde estão os meus pés... como tensiono a coluna... o quadril. E você vai fazendo e falando e falando e fazendo...*

Carla — Realmente estou com o corpo bem curvado sobre o caderno e os olhos bem concentrados no foco, na folha. Geralmente, curvo bem o corpo. Apoio bem a mão no caderno e dou uma inclinada na cabeça para a frente...

P — *Vai fazendo a descrição para você...*

Carla — Eu costumo proteger com uma mão o que eu estou escrevendo, me inclino, deixo bem fechado esse campo em volta do papel e escrevo. Em geral, bastante rápido, sem muito filtro, risco, volto até que paro e fico pensando... assim, inquieta. Os olhos estão buscando alguma coisa [cabeça apoiada na mão, olhos arregalados e fazendo movimentos rápidos de um lado para o outro], se eu penso alguma coisa, eu paro o olhar em alguma coisa que esteja na minha frente e fico ali... E quando me vem o insight, de novo faço o mesmo movimento. A cabeça fica superexcitada, em disparada, mas só vem pro papel um pouco disso tudo que imagino. Não consigo fazer de outra forma. Não me sinto relaxada. Fico tensa.

P — *Você escreve à mão?*

Carla — Sim. Às vezes escrevo no bloco de notas do celular, mais ou menos na mesma postura, tentando fechar o campo da tela com o corpo, tudo pra mim.

P — *Como a gente pode imitar o que a Carla está descrevendo?*

Alguns fazem... Pausa longa para o experimento.

P — *Agora, por favor, gostaria que você intensificasse essa postura de se debruçar sobre o papel. Perceba que esse é um fotograma, um recorte do que está escrevendo. Que comportamentos estão presentes enquanto você faz isso?*

Carla intensifica a postura.

P — *Agora desmanche em graus, menos um grau, menos um grau, menos um grau e repita algumas vezes... bem lentamente... Perceba como está sua respiração enquanto você faz isso.*

Você está aqui com todas essas pessoas, mas tenta fazer para você, bem introspectivo. E os outros vão pensando: como eu escrevo quando eu escrevo? E seria muito legal já ir anotando, porque a gente vai usar isso.

Carla faz.

[In]fluxo: corpo

83

P — *O que você experimenta quando escorrega dessa forma fechada sobre o caderno, tentando caçar o* insight *no ar, com o olhar fixado à frente?*

Carla — *Quando levanto a cabeça tem uma aceleração, fico ofegante, e aqui, cercando o papel, é calmo, desacelerado.*

P — *Faça mais algumas vezes, em câmera lenta... Você, que falava de estar escrevendo sempre em suspensão... como desliza do fechado para o aberto, achando um espaço dentro do seu peito para não precisar quase se afogar, asfixiada, para depois poder respirar de novo. É mais ou menos isso, né?*

Imito Carla se afogando sem ar... e depois indo para o outro ponto querendo pegar tudo.

P — *Vai afinando isso, percebendo isso, como você faz para descarregar essa força e abrir... Repita mais algumas vezes e pause.*

Viviane — *Uma coisa é escrever o que produzo e outra coisa é escrever aquilo que estou produzindo ou reproduzindo... Sempre está fincado numa precisão minha do que eu quero focar. Mas tem movimentos diferentes no meu corpo.*

P — *Sim, você faz a distinção entre produzir a escrita sobre si mesma e produzir a partir de ideias dos outros, de referências externas. Sem dúvida, essa experimentação é para uma narrativa íntima, na forma dela. A sua é diferente. O que você traz é que a nossa produção de pensamento está sempre sendo atravessada pelo ambiente e por outras coisas — memória, informação, pressa... E a questão é: como se ancorar melhor para esse fluxo ser articulado de forma mais fluida, criativa, sem se bloquear?*

Como Carla contou: ela vai, vai, vai... [gesto subindo], *tem mil inspirações e quer pegar tudo e aí ela se sufoca! Quase se afoga de tanta coisa que imagina e depois não consegue passar tudo aquilo para o papel. Essa experimentação é para conectar esse lugar entre a forma inflada e a forma afogada. E fazer, aprender a fazer a alternância. Se ficar só na obsessão não escreve, se ficar só na exploração do espaço sideral você também não escreve. Certo?*

Carla — *Certo!*

P — *Então, por favor, gostaria que todos imitassem esse gesto de fechar sobre o papel, percebam que fecha a boca do estômago, o olho arregala, e dessa tensão do corpo curvado para a frente vamos passar para essa forma da antena que fixa os olhos à frente para captar as ideias, como se a cabeça fosse um radar mesmo.*

Todos imitam.

P — *Agora, vai alternando... e achando esse lugar nem fixado demais nem solto demais... nem enrijecido nem mole... ache o tônus para cada ação do ato de escrever, nessa imitação que estamos fazendo da forma de outra pessoa.*

Enquanto isso, Carla fica em pausa, captando os efeitos da ativação.

P — *Carla, você poderia descrever como foi a experiência? Como é pensar em como você escreve?*

Carla — *Foi interessante alternar as duas posturas, e quando voltei para o papel estava mais calma.*

P — *Então, gostaria que você repetisse isso mais uma vez, bem devagar... Perceba como seria se você pudesse não pesar tanto o peito sobre as mãos.*

As costas talvez continuem curvadas, mas não tão desabadas sobre os braços. Talvez pudesse achar outro eixo para sua cabeça, dar mais espaço para sua barriga. Para a frente... vai modulando a frente do corpo para a escrita cursiva. Vai percebendo se vem uma sensação direta do lugar — boca do estômago — e acha o bloqueio. Não busca isso fora... é dentro. Repete...

Vai fazendo as transições... percebe como está sua cabeça, seu peito, sua barriga. Vem alguma imagem, palavra, memória, algo que queira compartilhar?

Carla — *Não tinha percebido quanto essa posição me dá um nó aqui, na boca do estômago* [diafragma], *cortando o fluxo de ar. É um nó mesmo.*

P — *Põe a mão no nó e, abrindo e fechando a mão, vai pulsando e soltando de dentro pra fora. Vai percebendo o ar passar por dentro. A mão pode conversar com camadas profundas da sua forma. Abrindo e fechando a mão diante do bloqueio no corpo.*

Vários fazem o mesmo na direção do plexo solar e da garganta.

P — *Carla, agora só espera... E gostaria que você corporificasse essa experiência, escrevendo um pequeno texto sobre o que viveu. O texto realinha os ritmos e faz parte da digestão do acontecimento encarnado no corpo e na linguagem.*

Já experimentando as outras posturas, com a respiração mais livre, ela escreve:

"Quase me afogar em palavras, rápido, sem pausas, visceral...
No papel as palavras correm e saem sem parar. No respiro, elas se organizam.
Volto para o papel e elas se perdem, mais uma vez.

[In]fluxo: corpo

Respiro lentamente, ajeito o corpo para caber nas palavras. Elas agora se acomodam com mais tranquilidade.

Intensifico, desintensifico, percebo e espero.

As ideias são ofegantes como a respiração.

A confusão está aqui. Sou eu. Na escrita, ela se revela."

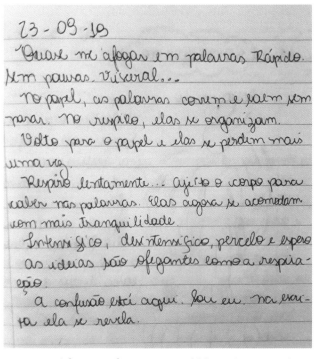

Como você faz o que faz? Como você bloqueia sua escrita?

Esmeralda acompanha atentamente a intervenção de Carla. E, em seguida, conta da sua dificuldade de escrever.

Esmeralda — *Eu fico muito tensa para escrever. Ultimamente, tenho um incômodo corporal.*

P — *Dói?*

Esmeralda — *Exatamente.*

P — *A dor é um grande sinal.*

Esmeralda — *Estou evitando escrever fora do meu horário de trabalho, fico muito no computador.*

P — *Será que você pode desenvolver outras maneiras de fazer suas notas sem usar o computador?*

Esmeralda — *Para o mestrado, sim. Para o cotidiano, não. Além do excesso do uso do computador, quando estou escrevendo me incomoda ser interrompida e também o barulho que as pessoas fazem no entorno.*

P — *Então, voluntariamente, você vai se imaginar no seu lugar de trabalho e vai fazer o gesto de escrever em meio às pessoas e com todos esses incômodos.*

Esmeralda sobe os ombros, fecha o peito e as mãos disparam na digitação das teclas imaginárias. Fica nítido que ela direciona toda a tensão para o tronco, os ombros e a cabeça, tentando "se fechar" para escrever. A pesquisadora pede que intensifique essa tensão e, grau por grau, vá desintensificando esse gesto.

P — *Perceba que, ao desfazer essa tensão, o próprio ar abre espaços por dentro da sua cabeça, do pescoço, dos ombros. De novo, voluntariamente, intensifique o gesto e desintensifique lentamente, em graus. Ache um lugar em que você possa continuar digitando, incluindo esses espaços novos que surgiram com essa prática.*

Esmeralda — *Sim, fica mais confortável. Menos assustado.*

P — *Isso. Esse modo habitual não é certo nem errado. Mas, criando mais espaço para os ombros, baixando os ombros, ganhando a extensão dos braços, talvez a sensação de invasão também diminua. Você pode voluntariamente criar outra relação com o ambiente modificando a forma corporal.*

Estamos lidando com formas estruturais, feitas por esforço constante, autoexigência, pressa, pressão. Mas você pode conscientemente intervir nessa forma e achar outro modo. Não se trata de buscar condições ideais para escrever, para meditar, para se acalmar ou para se realizar. Nós temos que trocar o pneu do avião com o avião voando o tempo inteiro. Então, como usar o meu corpo para modular isso no ambiente em que estou?

Esmeralda — *As pessoas se incomodam muito com isso; eu me desligo e as pessoas querem falar comigo e eu não presto atenção. Ou peço um tempo e alguns acham isso agressivo. Então prefiro escrever afastada dos outros, em momentos em que estou sozinha. Mas, quando não tem jeito, sinto que o ambiente barulhento me desgasta muito.*

P — *Quando está nesse ambiente, você escreve o quê?*

Esmeralda — *Escrevo coisas mais mecânicas... fichas... o que precisa de mais concentração eu estou deixando para fazer quando estou sozinha.*

P — *E é melhor?*

Esmeralda — *É melhor.*

P — *E como você fica quando está escrevendo sozinha? Como é a sua postura de cabeça, de peito...*

Esmeralda — *A postura não muda muito...*

P — *Você continua na pressa... Uma questão para você é achar esse ritmo e não se proteger tanto. Lidar com a interrupção é muito cansativo.*

Esmeralda — *Eu nunca tinha percebido isso, mas a minha vontade é avançar* [faz o gesto das garras dando patadas e rosna]. *Claro que eu não faço isso...*

P — *Sim, como seres civilizados, temos filtros, comportamentos sociais. Não podemos avançar no funcionário, morder o colega de trabalho...* [risos]

A partir do que você trouxe, você tem que se apropriar mais da sua capacidade de abrir espaço para existir no lugar, porque facilmente as pessoas passam por cima e invadem. Para ser incluída, você entra numa sobrecarga que dói, que está doendo. Então, volta lá para a sua posição de escrever.

Esmeralda repete o gesto.

P — *Procure achar um lugar que não é esse espremido nem aquela Esmeralda que acolhe todo mundo, que está sempre disponível... Com pequenas variações no gesto, vai achando mais espaço, para você... agora... aqui. Fazendo apenas isso: subir e descer os ombros em direção às orelhas. Esse lugar que não é nem espremido nem a Esmeralda que acolhe todo mundo... que está sempre disponível... Vai achando o lugar... vai praticando... agora... aqui...*

Faça só isso — subir e descer os ombros em direção à orelha... Gostaria que continuasse fazendo isso e depois anotasse, acho que virão coisas finas que vão se desprendendo.

Depois de alguns minutos Esmeralda produz o seguinte texto e o compartilha:

"Tédio x Ânimo

Me sinto entediada.

Mas, por que esse tédio?

Você faz falta, Ânimo.

Retorna e me abraça

Como você algum dia abraçou-me

Quero viver!
Viver sem tédio, mas faço algo
Algo que ilumine e me diga vem.
Vem ao meu encontro.
Mas nada à minha volta tem graça.
Enfim, tenho tédio, tédio, tédio.
Não quero estar aqui?
Onde quero estar?
Não sei, mas certeza que não é aqui.
Tédio, me tira, então, daqui?
Me leva para o Ânimo.
Ânimo, vem me buscar.
Quem é você, Tédio, para saber mais sobre mim?
Levante-se e vá embora, vire as costas.
Virei as costas para o Tédio
E abraço o ânimo e não largo mais."

P — *Você fez um bonito diálogo entre Tédio e Ânimo, que revela muito sobre o modo como você atua. E vou fazer, com todo o respeito, uma provocação: será que você não é menos comunicativa do que parece para todos? Talvez você possa se aproximar dessa essência mais introvertida, que apareceu na prática de hoje, sem o medo de não ser amada, de não ser aceita. Você poder se abrir por dentro para melhorar a conexão com o que está fazendo no momento, sem tanto medo das invasões externas, sem estar tão reativa a qualquer interferência.*

Fazer um diálogo entre o Ânimo e o Tédio é uma produção genuína e contínua, que foi ativada nessa prática para acessar o bloqueio de escrita, mas continua reverberando em você.

As leituras revelam várias pequenas descobertas que cada um fez sobre si e também ao imitar o outro. Terminamos em pé, em círculo, lembrando de como estávamos no início do dia e agora, depois dessa produção tão fina. Cada um evoca uma palavra e depois, como música, repetimos todas ao mesmo tempo, até o silêncio chegar. Tempo Nó Presença Escrita Atenção Deserta Sem Ar Começo Tédio Desconformar Tempo. Palma final.

1
2
3
4
5
6

Escrever escrevendo o corpo

> *Febre, hemoptise, dispneia e suores noturnos.*
> *A vida inteira que podia ter sido e que não foi.*
> *Tosse, tosse, tosse.*
> *Mandou chamar o médico:*
> *[...]*
> *— O senhor tem uma escavação no pulmão esquerdo*
> *e o pulmão direito infiltrado.*
> *— Então, doutor, não é possível tentar o pneumotórax?*
> *— Não. A única coisa a fazer é tocar um tango argentino.*
>
> **Manuel Bandeira**, "Pneumotórax"

Ao longo dos dez encontros das "Oficinas Corpo, Escuta e Escrita — Experimentos Textuais Formativos", foram apresentados diversos estilos literários e vários modos de ler poesia, prosa, documentários. A partir de um conteúdo cuidadosamente selecionado ao longo de muitos anos, desde muito antes dessa proposta de pesquisa, foi sendo cumprido o objetivo de proporcionar experiências que ampliassem o leque de possibilidades de escrita e também de leitura, sempre reforçando que as habilidades de leitura e de escrita são indissociáveis. Importante lembrar que cada atividade era sempre precedida por uma das diversas práticas corporais, com duração de cerca de uma hora e meia. Esse aquecimento conduzia ao tecido do texto — do próprio participante e de autores escolhidos.

Assim como o corpo humano é composto por camadas de tecido neural, epitelial, visceral, o corpo do texto também se forma a partir das captações que fazemos em conexão com a realidade e do desejo de comunicar. Para construir um texto, é preciso experimentar conscientemente os fatos que nos afetam, o modo como são narrados pelos vários sujeitos, tendo a língua, a palavra, como instrumento para transformar o acontecimento volátil em concretude de escritura. Isso depende mais de uma vontade organizada para o escrever do que da inspiração; pode ser uma produção solitária, mas também possível na polifonia-poli-escritura do grupo. E isso experimentamos intensamente nesse ciclo de conversas. No momento de verter o texto em letra cursiva — no modo analógico, não digital, no suporte do caderno pautado —, de sintonizar as funções, o cérebro-mão era priorizado, abrindo-se o tempo e o espaço para sentir o escrever como ação corporal finamente produzida.

Ao mesmo tempo, produzir algo escrito — seja a dissertação, seja o prontuário, o laudo, o relato de caso — nos aproxima da vida e nos faz ampliar o conhecimento que temos de nós mesmos, do outro, do comum, do coletivo. E para que serve a escrita? Como bem sinalizou a poeta portuguesa Adília Lopes (2002), porque somos uma espécie assustada precisamos deixar marcas nas cavernas e nos cadernos. A espécie humana aprecia marcar com seus dizeres a pedra, o papiro, o mármore, o outro, uma época, os territórios. Em luta contínua com a finitude e com a manutenção da memória e do testemunho, pela escrita reportamos o que recortamos do mundo e levamos para outro lugar. Nem toda cartografia é feita com texto, porém todo texto é em si uma cartografia, um mapeamento. Nos trechos a seguir, para palmilhar a prática do escrever, poderíamos tranquilamente substituir a palavra "pesquisa" por "escritura" e ampliar a definição de território.

≡ Na força dos encontros gerados, nas dobras produzidas na medida em que habita e percorre os territórios, é que sua pesquisa ganha corpo. O corpo, aliás, é uma importante imagem no exercício de uma cartografia, corpo que nos remete ao corpo do pesquisador e ao corpo dos encontros estabelecidos. [...]

Podemos falar em territórios subjetivos, territórios afetivos, territórios estéticos, territórios políticos, territórios existenciais, territórios desejantes, territórios morais, territórios sociais, territórios históricos, territórios éticos e assim por diante. (Costa, 2014, p. 67-68)

Eu acrescentaria a esses o território corporal, isto é, que diz respeito à consciência do próprio corpo como centro de processamento de ambientes e de processamento de ideias e ideais. O corpo como território em que estamos ancorados para poder observar os corpos de outros e, portanto, os comportamentos, tão importantes para quem escolhe atuar profissionalmente com práticas de cuidado. O corpo será a urdidura das propostas com textos expostas a seguir.

As camadas de perceber o alinhamento do corpo em oposição à gravidade, de localizar e discriminar a qualidade do próprio pulso, de escutar os sons ao longe, ao redor e os internos precedem o que os participantes vão assistir no documentário *O zero não é vazio* (2005), dirigido por Marcelo Masagão.[6]

A pesquisadora escolheu esse filme porque ele reúne personagens em sofrimento psíquico de várias origens e intensidades que se expressam por meio da escrita. Dessa forma, a interface entre saúde e comunicação ficou bem delineada, além de trazer um conteúdo comum ao universo profissional da maioria dos participantes, que atua em dispositivos de saúde coletiva. A personagem escolhida é Tatiana, descrita primeiro pela narradora enquanto tenta calçar luvas da mesma cor do casaco e veste roupas muito antigas para ir até a janela:

Tatiana Meyer tem tudo conservado num grande armário negro. Estão ali as cinzas do marido morto, o casaco de pele que pertenceu à avó e foi usado pela primeira vez no Teatro Municipal para assistir ao Balé Bolshoi. O xale de lã azul comprado por sua mãe em uma viagem à Espanha, com o qual ela enrolou seu filho ao nascer. Tatiana não conserva apenas pedaços, lembranças ou fotografias das pessoas queridas, mas também o desejo de trazê-las de volta à vida. Para isso, utiliza do saber da ciência na criação de algumas máquinas. Quando pequena, pensou pela primeira vez em uma máquina no dia da morte da bisavó: 'Hei de salvá-la nem que seja com a máquina!'

Já adulta, foi parar no hospital com fortes dores no corpo, no dia em que todos acompanhavam os primeiros passos do homem na Lua. Até hoje concebeu três máquinas: a máquina salva-vidas infindos infinitos, que transforma a morte em vida, a máquina microssônica, que regenera os órgãos do corpo, e a máquina antiprogeneica antiprogenei. Tatiana pesquisa atentamente tudo o que a ciência tem a dizer sobre o corpo — a genética, a biologia molecular, as células-tronco — e utiliza esse saber na criação de suas máquinas. Através delas, busca atingir o ideal científico de um corpo sem falhas, imune à dor e à passagem do tempo. (11 min 14 s a 14 min 44 s)

[6] Disponível em: https://www.youtube.com/watch?v=Uk6KFsxP4Y4&t=9s. Acesso em: 30 dez. 2020.

Microações e comportamento

Mais adiante, é a própria Tatiana quem fala e se refere a suas máquinas. Isso é feito enquanto ela desenha e faz anotações em letra legível, em uma grande folha de papel branco, com voz em tom professoral:

Máquina antiprogeneica, máquina contra a idade e máquina contra idosos... A mulher é assim. Tem uma almofadinha bem gostosa... ali... almofada... um travesseiro grande, um travesseiro bem molinho, bem macio... [desenha uma figura humana] *aqui está a máquina... o basal da tiroide... aqui funciona o basal da tiroide, desce e a idade polivalente dos 70, 80, 90, 100, 200 anos, idade de mais juventude, quanto quiser, pode chegar de 90 até os 22, 15, 14 anos... pode chegar onde quiser. Aqui, entra a vacina contra a velhice. Essa é uma máquina aberta... Os analgésicos porque sente muita dor... os anticoncepcionais para não ficar mais grávida. Não pode mais ficar grávida! Quem quer ter filhos não vai ter filhos com mais de cem anos. Aqui, no meu computador... dá a força centrífuga das moléculas de energia.* (27 min 25 s a 33 min)

Na sequência, é feito o convite para que os participantes assistam novamente às mesmas cenas, com foco no que revela o corpo da personagem, no modo como a narradora apresenta a personagem e como a personagem apresenta a si mesma. Nos trechos sem narração, faço pequenas pausas nas cenas originalmente exibidas em câmera lenta. Isso permite perceber em detalhe as microações corporais e os comportamentos associados a elas. Os microgestos são percebidos fotograma a fotograma, tornando bem concreto um importante conceito kelemaniano:

≡ Do ponto de vista do processo, a vida é uma sucessão de formas, que se movem mais ou menos como num filme. Quando o movimento diminui, podemos perceber as mudanças que acontecem em uma postura emocional de um momento para o outro. Se pudéssemos fotografar nossa vida e projetá-la quadro por quadro, perceberíamos que somos sequências móveis de formas emocionais variadas. (Keleman, 1992a, p. 11)

Em vez de entediar os participantes, a repetição das cenas e as pausas tiveram efeito instigante. Todos queriam descobrir quem era aquela personagem.

P — *O que vocês percebem no modo como a narradora apresenta e no modo como ela se apresenta? O que fica mais forte?*

Viviane — *A narradora é descritiva e a Tatiana, explicativa.*

P — *No primeiro texto, ela vai juntando os fragmentos para compor essa personagem. Ela compõe as informações e, sem dizer, diz. Por exemplo, quando foi o primeiro surto?*

Viviane — *Com a morte da bisavó.*

P — *Quando ela inventou a primeira máquina. A narradora poderia ter dito: o primeiro surto psicótico de Tatiana aconteceu quando recebeu o choque da morte da bisavó. No entanto, ela diz: "Foi quando a primeira máquina foi inventada". E vamos percebendo mais territórios: a que classe social pertence Tatiana, uma mulher que tem casaco e luvas da mesma cor? Que estava no Teatro Municipal e cuja mãe viaja para a Espanha?*

Podemos ver como o texto é muito preciso no modo de juntar fragmentos para construir essa personagem e, juntamente, com o ritmo em que as imagens são feitas. É lento o calçar das luvas. Como a forma do texto está conectada com o conteúdo mostrado? E se não houvesse a imagem, o texto nos contaria quem é Tatiana? Ela está falando da segunda pele, da roupa, do armário que tem as cinzas do marido, os casacos de pele, o armário é negro, pequeno, num quarto decadente, você vai vendo a Tatiana... Essa é a força de uma descrição precisa.

Provavelmente, essas informações foram recolhidas em prontuários, em entrevistas com familiares e em conversas com a própria Tatiana. Assim, como em um caso clínico, os fragmentos vão se sobrepondo até formar a figura.

E para que serve a escrita? Para que a gente conte histórias. Agora Tatiana é de todos nós.

No segundo momento, Tatiana fala dela mesma. Comparando os dois textos, que consistência tem a fala da narradora e que consistência tem a fala de Tatiana?

Audra — *Acho que o da narradora é mais concreto, mais sólido, e o da Tatiana é mais explicativo, mais flutuante, mais leve. Para mim, causou mais empatia o relato da Tatiana do que o da narradora. Eu percebo que ela gosta de escrever e desenhar o que ela fala, isso me deixou mais aberta para enxergar quem ela é.*

Eliana — *Eu senti diferente. Eu acho que a narradora foi fantástica. Senti o peso daquele casaco: de sufocar! E achei que o texto e a imagem não brigaram. Ela deixou vazios que foram completados. Isso me abriu para querer conhecer melhor a Tatiana. Achei fantásticas as lacunas. Ela não fez uma descrição precisa, ela deixou pausas.*

P — *Isso. Também podemos dar pausas no texto. A música é feita de silêncio e som. Ela deixa os vazios para que a gente possa entrar na história.*

Zilmara — *Será que isso é para mostrar que ela tem alguma doença? Logo vi que Tatiana não é gente comum, que vem de outra realidade. E ela traz seus conhecimentos, ela se dedicou a estudar biologia, mesmo em surto. Faz tudo na velocidade dela. Fui vendo que ela tem uma doença mais mental que física, e os silêncios ajudaram a perceber isso.*

Marília — *A primeira fala, a da narradora, tem linearidade. Eu só fui perceber que a velha senhora era doente quando ela falou do anticoncepcional. Minha avó faleceu com 98 anos, convivi muito com ela nos últimos oito anos, e ela tinha esses devaneios poéticos. [...] A velocidade é a velocidade do idoso. E os tempos... como é difícil a gente aceitar o tempo do velho... eles têm outro tempo. Ela é um mosaico de memórias...*

Juçara — *Primeiro você falou do linear e depois do mosaico. O mosaico é de todos nós, né? A gente também é um mosaico. A fala dela é ela. Você passa para dentro dela. É a essência dela. A outra é a visão sobre ela. A linearidade, o que eu acho que é o outro... é difícil até compreender, todos somos mosaicos.*

Marília — *Todos nós somos, mas a gente não se apresenta assim.*

Juçara — *A gente quer colocar em caixinhas; mas, se deixar mostrar mesmo, a gente é uma bagunça.*

P — *Para a narradora, a Tatiana é um ambiente, que ela narra escrevendo de fora para dentro. É bem claro ali que ela já teve interação grande com Tatiana. Ela está de fora olhando o objeto. Porém, quando é a Tatiana falando de si mesma, ela dá acesso para a gente entrar na mente dela. Então, ela desenha... Fico imaginando que Tatiana tenha sido professora... talvez tenha tido interesse na biologia molecular... E qual é a luta da Tatiana? Que luta que ela trava?*

Viviane — *Com a vida.*

P — *Estar viva e inventar máquinas que a mantenham viva, que derrotem o envelhecimento e a morte. Isso a mantém viva. Ao olhar como ela se expressa, há organização espacial, a letra de fôrma é grande e legível, para ser lida por muitos. Fala do anticoncepcional e a narradora nos informa que ela teve um filho. É possível experimentar uma qualidade concreta nesse discurso que Tatiana faz de si mesma, que é um fiapo... A personagem é muito forte e mostra que a vida tem muitos caminhos para continuar prosseguindo. Quando criança, ela não conseguiu assimilar a força do acontecimento da morte da bisavó. Teve uma ruptura e, mesmo assim, a vida continuou passando nela, apoiada na imaginação de criar máquinas antimortalidade. E nós podemos imaginar que ela fala das próprias dores e dos remédios que tomou.*

Nesse experimento, fica bem clara a função da descrição corporal como ferramenta de precisão para a escrita. Para fixar isso, repito novamente os trechos sem som, pausando a cada fotograma, e convido todos a fazerem textos sobre Tatiana. A interlocução traz novos elementos sobre a descrição corporal e a precisão da escrita.

Descrição corporal, formas e comportamentos

Qual será a ação que Tatiana repetiu intensamente, ao longo da vida toda, para ter as costas com aquela forma? O que isso quer dizer do comportamento dela?

Viviane — *Para mim é ação de proteção.*

P — *Sem dúvida é uma forma que revela que ela lidou com acontecimentos excessivos, uma forma de introversão, de recolhimento, de dor. Talvez ela não tenha dor nas costas, mas há um sofrimento que se concentra ali na região costas-peito. Parece que ela foi moldando essa forma dela por grandes e repetidas contrações. Lembram-se do pulso contrai-expande? A Tatiana é uma pessoa de pulso extremamente contraído. Ela expande o pensamento, mas o pulso está contraído. Onde? No peito e do peito para dentro. Ela foi ao longo da vida escavando essa forma. Geralmente os surtos moldam o corpo e cristalizam formas, cristalizam assimetrias, cavam mais fundo as curvas para dentro ou para fora, cavam imobilidades.*

Viviane — *Me chama a atenção um desejo de viver. Na minha descrição trago que ela é cuidadosa e protetiva. Uma autoproteção, mas com intencionalidade, que é associada ao desejo de construir as máquinas para que o vivo permaneça.*

P — *Essa oposição entre o corpo cristalizado e a mente inventiva indica o que ela vive. Uma cisão, uma dissociação entre um corpo imóvel e a mente que quer muito ficar viva. Na literatura de todas as épocas, conflitos, paradoxos, oposições são o mote para a construção das narrativas. É nessa fricção que são cunhadas as boas histórias. Então: como um corpo tão vergado sobre si pode ter uma mente tão translúcida, que leva a gente para outra dimensão? Esse conflito entre o corpo e a vontade de viver é muito claro. Pensando na descrição, você pode considerar o que vê nos dois campos e depois faz no texto essa junção, criando a tensão entre os opostos. Os humanos são fissurados por tensões, por oposições, por antagonismos, por jogos de forças. E, quando a gente se propõe a falar da vida das pessoas, temos que olhar as contradições. Isso enriquece a nossa compreensão sobre a pessoa e a compreensão de quem vai ler o que escrevemos sobre a pessoa. E, na clínica, a gente faz tudo isso e aponta para a pessoa quais são as linhas de força e os antagonismos. Isso vai criando outras camadas de conexão sobre si mesmo, com os ambientes, com o mundo.*

Marília — *Tem o fardo pesando nessas costas. Deve ser o maior fardo do mundo querer lutar contra a morte.*

P — *Sim. E desde tão cedo.*

Marília — *E nessa sequência a bisavó, a mãe, o marido... essa vontade de viver...*

Carolina — *Parece que não é uma afirmação da vida, é uma negação da morte. Ela se protege, mas não parece que ela está vivendo.*

P — *A negação é intensíssima, ela vai inventar máquinas que garantam a vida. Ela não se conforma com esse fato. Muito cedo aconteceu. A bisavó morreu quando ela era pequena. Como a família viveu isso? A gente pode imaginar o desequilíbrio da família, não protegeram a criança para ela digerir isso de maneira não tão chocante.*

Rita — *O segundo surto está associado a dores no corpo, a algo muito intenso fisicamente.*

P — *Que era um sintoma clássico da histeria. Provavelmente, estava associada à adolescência, à puberdade. Ela devia ter 18, 20 anos quando o homem foi para a Lua. Interessante você notar isso, como a narradora encarna no corpo o sofrimento.*

Em relação a olhar os fotogramas, podemos ver gesto a gesto como ela habita o próprio corpo e o próprio ambiente. A natureza da descrição tem um ritmo mais lento. A descrição exige de quem escreve um estado lentificado, exige paciência para desenhar com palavras o personagem — no caso, pessoas que estão a nossa frente e não apenas imaginadas.

Esmeralda — *"Tatiana tem uma aparência envelhecida, ao primeiro olhar não tenho certeza se é homem ou mulher. Cabelos curtos, corpo curvado, aparência cansada. Sua roupa não tem cor alegre. Usa um sobretudo verde, sem vida, com luvas na mesma cor. Tudo envelhecido. Tudo ao seu redor parece que está parado e sem vida. A lentidão dos movimentos acompanha seu olhar perdido."*

P — *Eu tiraria duas palavras: "parece" e "aparência". Você não precisa explicar, apenas olhar e descrever.*

Adriana — *"Tinha um corpo vergado pela idade e pelas perdas. Apesar disso, aparentava uma certa densidade. A testa larga dava espaço a inúmeros pensares e o olhar era perdido, às vezes no passado, às vezes no futuro."*

P — *O olhar perdido é muito forte nela. E as costas, será que são arqueadas apenas pela idade? Ou são moldadas por um comportamento introvertido? A gente percebe que o universo da Tatiana é inatingível, e o texto pode falar de como não é possível alcançá-lo.*

Juçara — *"Tatiana tem as costas arqueadas e movimentos lentos, típicos da idade. Veste-se com roupas sofisticadas, um sobretudo verde-musgo. Procura na gaveta bagunçada as luvas que combinam com o sobretudo, confunde a mão ao vestir as luvas, como confunde a realidade com a imaginação."*

Marília — *"Tatiana vai devagar para não se cansar demais. A vida é dura e é preciso pausar. É preciso haver senso estético também. A vida sem o bom gosto... O verde militar, ou seria musgo, nas mãos? Um tom de vinho no lenço do pescoço... pode ser mais sem graça do que as tantas dores que já viveu."*

Carolina — *"Suas costas se encurvam como uma montanha que protege algo logo abaixo do seu peito. Os olhos são posicionados firmemente sobre o nariz proeminente, de onde descem duas rugas profundas e simétricas até as laterais da boca. Ali as bochechas são vincadas por inúmeras linhas sem direção, como se a pele daquela região tivesse sido tirada, amassada, guardada e espremida em algum compartimento apertado. Tudo para seguir sendo colocada na mesma posição, porém já sendo outra."*

P — Um rosto armário, né? O armário e o rosto. A descrição é uma representação da coisa, mas "é o que é", e isso briga com as metáforas. Você descreve muito bem. Costas arqueadas como uma montanha... eu tiraria a montanha. Para ficar no campo da descrição sem metáforas. As metáforas empobrecem esse tipo de texto em que estamos enxergando o outro.

Carla — *Tenho dificuldade de escrever sem metaforizar.*

P — *Isso é um treino forte.*

Carla — *"O corpo de Tatiana passa lentamente pelo tempo. Ao escolher os elementos para compor a segunda pele, curva as costas. Usa as mãos para colocar as luvas que, ao serem calçadas com certa dificuldade, compõem essa roupagem monocromática que tem a cor da esperança."*

P — Cor da esperança pra você, né? Porque pra mim é musgo puro!

Carla — *Ah, por causa da questão da luta pela vida.*

P — Mas isso não está no seu texto, você pode acrescentar. E imagine a quantidade de ácaros que tem nesse casaco. O cheiro desse quarto.

A descrição também pode ser do imaginário. Eu imagino quanto ela incomoda os ácaros que estão naquelas luvas quando lentamente a vai calçando, dedo a dedo. O que será que acontece com todos os seres vivos que moram naquelas luvas, na gola daquele casaco… enfim… Os ácaros também poderiam ser escolhidos para narrar essa história.

Essa é a descrição. A descrição faz isso com a gente. O bom romance, bem descrito, nos causa sensações por meio das palavras. Lá fora está 40 graus e, se no romance está nevando e o autor sabe descrever, o leitor começa a passar frio!

Rita — *"Tatiana é uma mulher magra de costas abauladas, mãos magras, gestos delicados e pulsos finos. Cabelos curtos e lisos, tingidos e depois desbotados pelo descuido. O rosto é afinado, pele fina, muitas rugas ao redor da boca e da bochecha. Poucas rugas ao redor dos olhos claros. Poucas manchas no rosto, lábios finos e bem delineados."*

P — *Você associa algum comportamento a essa forma de corpo que você descreveu?*

Rita — *Comportamento lentificado…*

P — *Como se chama esse comportamento? A partir da descrição que você fez, qual é o temperamento da Tatiana? Faço essa pergunta pensando no Hipócrates, que no século 4 definiu as pessoas como melancólicas, fleumáticas, sanguíneas e coléricas.*

Rita — *Está mais pra melancólica.*

P — *A forma é comportamento, e esse é outro conceito formativo:*

≡ A psicologia formativa tenta compreender a forma de uma pessoa: como ela está organizada; como essa forma funciona; a que papéis dá origem; suas regras musculares — emocionais e nervosas; como a vitalidade e a vivacidade são mantidas; e o padrão de agressões que resultou na forma ou papéis observados. Associações psicológicas, sentimentos, interações e conexões musculares, todos fazem parte da estruturação de uma forma pessoal. […] Toda pessoa é um mamífero ontológico e universal, assim como um ser particular, personalizado. (Keleman, 1992b, p. 12)

Esquecer de si para olhar o outro

Simão — *"Uma senhora de cabelos curtos deposita sua confiança e determinação ao vestir suas luvas para enfrentar as batalhas do dia a dia."*

P — *Você acha que ela já enfrentou as batalhas do dia a dia alguma vez? Você acha que são luvas de operário ou luvas de madame?*

Simão — *Na luva está o sentido de dar força, de fazer as coisas, de ir pra frente. O mundo do idoso é diferente, é lento, pode machucar. A luva é para proteger a mão. Eu pelo menos fiquei nesse ponto. Curtinho. Sem viajar muito.*

P — *Curtinho, mas deu o recado. É interessante que você traz as luvas como um ícone do trabalhador, de enfrentar batalhas. Você usa luvas no seu trabalho no porto?*

Simão — *Uso, sim.*

P — *Então, repare que você está falando das suas luvas, não das de Tatiana. E esse é outro elemento da boa descrição, trazer o ambiente do outro para o texto com o mínimo de referências pessoais do seu mundo. Quem está em foco é o Outro e essa descrição, essa legendagem são capazes de convidar outros a compartilhar daquela realidade.*

Zilmara — *"Tatiana tem as costas curvadas, o andar lento, uma forma de se vestir e calçar. O rosto já envelhecido e o cabelo curto, com a praticidade que a idade cobra. Anda com dificuldade e até descontrola os passos."*

P — *Você acha mesmo que ela tem o cabelo curto por causa da praticidade que a idade cobra?*

Zilmara — *Eu acho, porque em Santos a gente vê...*

P — *Essa é uma inferência. Veja se você precisa desse elemento para falar da Tatiana. Pelo que a gente vê, ela está muito longe da praticidade da vida. Da mesma forma, quando Simão confunde o que é usar luvas para ele e para ela. Porém, as luvas dele são as dele e as dela são as dela. Então, questiono: como, em nossos textos, a gente pode falar da pessoa sem falar de nós?*

Audra — *Ainda estou tentando entender a diferença entre descrever e explicar... "Tatiana é uma senhora branca, magra e já com bons anos de vida. Tatiana é lenta, e essa vagareza vem da sua idade e, talvez, também do uso de remédios, os muitos que já tomou na vida. A princípio, talvez não se perceba, mas Tatiana não vive no mundo que faz sentido, vive em outro mundo. Um mundo que faz sentido para ela e para mais ninguém. Ela tem um olhar de sonhadora e a mente de uma cientista. Tatiana está em busca da máquina perfeita, máquina do corpo, da mente e do coração."*

P — *Você entendeu a diferença entre descrição e explicação. Aqui, treinou e descreveu. Para nós, que somos da área da saúde, o foco está sempre no outro, no encontro com as pessoas, na interlocução com as pessoas ou até mesmo na dificuldade de encontrar e conversar. Geralmente, nosso olhar enfoca direto a dor do outro, o que falta, o que anuncia a diferença, o que está em oposição à vitalidade. E o texto será mais rico quanto mais essa interação não estiver contagiada por nossas referências pessoais. A área da saúde nos convoca à atitude empática, a nos colocarmos no lugar do outro. O outro é a figura principal, sempre nos instigando a tirar nossas lentes usuais e ampliar o olhar.*

Se, ao escrever esse tipo de texto, nos mantivermos apenas no lugar do observador, o texto fica empobrecido. Se nos colocarmos em um lugar de fronteira, isto é, percebendo o que está fora, como isso nos afeta e ao que vai dentro de nós? Desse fluxo vem a escrita mais cristalina, capaz de ampliar o campo de visão subjetiva.

Descrever, descrever, descrever

P — *O texto descritivo fala de um funcionamento. Quando não souber como fazer um bom texto — seja a dissertação, seja o prontuário —, atenha-se à descrição, sem se preocupar com o enredo. O processo formativo prioriza a descrição em vez da interpretação. A interlocução se dá a partir de perguntas simples. Como é? Como você sente a sua tristeza? Como ficou assustado? Como era a forma do seu corpo quando se assustou? Como ficam seus ombros quando você se assusta? E o que acontece com sua cabeça? Com seu peito? Com sua barriga? Nesse exercício, o outro vai se apropriando da sua forma e dos comportamentos associados a ela. Quando o texto sobre outras pessoas nos desafia, a descrição corporal pode ser uma saída que dá espaço para a originalidade e a organização da expressão escrita. Amplia também a possibilidade de criar uma conexão mais efetiva com o leitor, pois transitamos entre o pessoal e o universal, provocando uma identificação humana. De ser humano para ser humano.*

Para tornar isso ainda mais claro e exercitar esse lugar fronteiriço, a proposta é pausar, captar-se e descrever o próprio pulso. O que dá origem a uma série de pequenos e inspirados textos descritivos.

"Me contraio.
Me espalho.
Penso na vida:
Se paro nos meus limites
Ou nos limites que a vida anda impondo.
Expando para acreditar,
Para seguir,
Para olhar para meus amigos e família,
E respiro fundo.
Contraio e logo expando.
Talvez isso seja vida.
Morrer e voltar."
[Marília]

"Oscilo.
Vai. Silencia.
Titubeia. Aguardo.
Guardo o aguardo vivo.
O ato está no vazio
Onde não se espera
E é tudo acontecimento."
[entra som de celular, com música romântica]
[Viviane]

"Sou pulso e como pulso.
Não paro e como pulso.
Acelero e como pulso.
E não desligo e como pulso.
Mas com isso não percebo meu próprio pulso."
[Juliana]

"Quando eu era criança, meu pai me presenteava com o som de sua voz, me contando histórias antes de dormir. Ele me entregava o seu colo e a textura da sua voz. Não era necessário um livro cheio de informações visuais para

mesclar dois ou mais sentidos. De olhos fechados, criava as imagens para cada som que entrava pela minha pequena concha auditiva, que, diga-se de passagem, é bem pequena até hoje. Suas palavras viajavam e vibravam em meus tímpanos, passavam pela cóclea e corriam elétricas para meu pequeno cérebro, se transformando na lembrança mais doce que tenho da minha infância."
[Carla]

A articulação dos textos pode ganhar uma qualidade nutritiva. Organizar o *mix* das camadas experimentais, teóricas e de captações sobre o vivido revela como acontece o próprio ato de escrever e como se trata de um processo corporal — de absorver, digerir, secretar. Dessa ruminação nasce a estrutura do texto, dos pensamentos, do que precisa ser teorizado, explicado, descrito, apenas com o que importa. Embora muitas vezes seja difícil parar para escrever, quando se está num processo de criação, engendrando uma dissertação, por exemplo, escreve-se em muitas outras ações. Ao caminhar, enquanto se toma sol, enquanto se olha as nuvens, lavando louça até que o texto, o ato de escrever se manifeste como secreção — saliva, lágrima, suor.

É fácil escrever!

Outra prática escolhida pela pesquisadora para realizar um dos propósitos iniciais desta jornada é acabar com a idealização sobre a escrita: que é ato solitário; que é um processo sofrido; que necessita de condições ideais de tempo, calma e silêncio; que é algo para poucos iniciados; que é fruto apenas da inspiração. A cada encontro, novos textos eram produzidos, com vários momentos dedicados a passar para o papel o que havia sido estimulado. Um dos exercícios era o da escrita automática, uma modalidade que remonta ao século 19, associada ao tratamento da histeria, para liberar os fantasmas do inconsciente. Mais tarde, foi usada por médiuns ao psicografar mensagens dos espíritos e ficou malvista por ser associada a hipnose, poesia e ocultismo (Hustvedt, 2009, p. 71). Porém, na pesquisa sobre aprimorar as habilidades de escrita, reconhecendo que ela é um ato corporal, a escrita automática tornou-se uma prática didática, útil e lúdica.

≡ Durante a escrita automática, a pessoa não sente que controla o texto. Não escrevi o texto: foi escrito em mim. O fenômeno pode ser chamado de síndrome literária da mão alheia. A sensação de que as palavras são ditas a quem escreve, em vez de compostas, contudo, não se perdeu no passado. [...] Entre os escritores, podemos dizer, isso não chega a ser extraordinário: é bem comum. Quando estou escrevendo bem, com frequência perco todo o senso de composição. Não é minha maneira costumeira de escrever, que inclui polimento, períodos dolorosos de iniciativas e interrupções. Mas a sensação de ser conduzida acontece diversas vezes durante a criação de um livro [...]. (Hustvedt, 2009, p. 72)

P — *Depois dessa apresentação lida em voz alta, a proposta agora é que a gente se divirta escrevendo. Vamos apenas pousar a caneta sobre o papel e soltar o fluxo de pensamentos, de sensações, de memórias, de invenções. Não tem regra, apenas escrever como se fosse uma descarga do que vai dentro de você. Tome o seu tempo. Posicione o corpo e se lance, no ritmo que for mais confortável para você. Tente alinhar o seu texto a algo do presente, não vá nem ao espaço sideral, nem à profundidade do umbigo. Temos 15 minutos.*

P — *E o que aconteceu?*
Juçara — *Foi muito interessante, confirmou o que eu tinha na cabeça: que tenho bastante facilidade para escrever. Fiz uma folha dos dois lados e a metade da outra.*
"Respira. Os pés continuam frios. A sala parece vazia. Parece? Pensamentos. Qual é o assunto que eu quero escrever sobre? Não sei. Talvez. Muitos sons distantes e a minha criatividade, cadê? Lembrei que estou sem meus óculos. As letras estão embaçadas na minha frente. Meus pés continuam frios. A luz entra pela janela e inunda a sala. Vejo a luz. Sobre o que eu vou escrever? E o silêncio cheio de sons. Paro. Os pensamentos não vêm. Ou vêm? Muitos. Meus pés continuam frios. E eu que sempre gostei de escrever. Lembrei da história da minha alfabetização. Acho que vou descrever. É muito 'eu'. Nos primeiros dias da escola, nossas tarefas eram exercícios de preparação para a escrita. Repetição de formas de letras, em geral, com musiquinhas, tipo 'Onda vai, onda vem, onda miúda não mata ninguém'. Então, minha mãe foi chamada

na escola. A professora pergunta: 'Sua filha está com algum problema?' A mãe responde: 'Não. Por quê?' 'Porque ela está fazendo lição demais. Eu peço meia página e ela faz duas páginas de cada tarefa'. Então, como pode agora estar difícil de escrever??? Nunca soube exatamente o que escolher. Mas na minha infância o que persistia era o desejo de me tornar veterinária... virei farmacêutica e agora vou prestar vestibular para medicina, dar outro salto. E agora sinto um calor suave descer até meus pés."

Exposição e autenticidade

Carla — Depois daquela prática com o bloqueio de escrita, tentei me acomodar aqui um pouco mais aberta, deixei a perna descruzada. Percebi que eu me fecho justamente, acho, para me proteger de mim e daquilo que vem quando eu quero escrever automaticamente. Sempre acho minha escrita um pouco melancólica e não gosto muito disso. Então, agora, quando escrevi aberta veio exatamente o que eu escrevo. Tem um tom melancólico, de tristeza...

P — Mas é o seu tom?

Carla — É o meu tom, mas não gosto tanto dele. Quando me ponho a escrever e quero escrever diferente, eu protejo essa parte [o peito], porque às vezes dá um nó e eu quero falar outra coisa. Quero falar mais bonito, mais alegre, mais diferente. Escrevi aberta e aí foi. Um texto curtinho, mas muito mais do que sou do que quando eu estava na postura que escrevi a outra página.

P — Essa questão fica clara na escrita quando a escrita é verdadeira. A gente pode se perder floreando coisas, pode se perder tentando falar bonito, mas a riqueza do seu texto pode estar em outro lugar.

Carla — Mas eu me sinto exposta, sabe?

P — Ah! [risos]

Carla — Isso agora ficou muito claro!

P — O que é a escrita? É uma forma de expressão. É, sim, uma exposição. Uma publicação é uma exposição. Você, Ju, acabou de publicar para nós que acabou de prestar vestibular para medicina e talvez fará uma grande transformação na sua vida. Você não chegou falando isso, você escreveu e leu pra gente. Imagino quanto está difícil de caber aí dentro.

Como é uma exposição, ela vai ficar. Mesmo que seja só para depositar nas bibliotecas da vida, vai ficar. Cabe cultivar essa prática para entender o que é verdade e o que cabe a cada um. Quer ler?

Carla — *"Sabe, Zé, as vezes eu fico triste. Mas triste, assim, de fazer dó, sabe? Não tem motivo, não tem muita explicação. É mais forte do que eu, Zé. Às vezes tá tudo bem e, de repente, pá! Dá um nó na garganta e os olhos enchem, a maré sobe e eu tenho que chorar. Mas chorar me dá uma dor de cabeça, Zé. Aí eu prefiro segurar a onda. Aí desando a gargalhar. E as pessoas pensam que eu estou feliz, Zé. Mas sorrir, pra mim, é uma forma de chorar."*

Perceba o seu corpo e responda: como você bloqueia o fluxo da escrita?

Catarse na página

O exercício suscitou em vários textos memórias de infância e sonhos, alguns em tom poético. Porém, um dos textos convocou todas as tarefas do dia e uma repetida queixa contemporânea.

Juliana — *"Onde está o meu tempo? Não sei se me roubaram ou se ele está aí, mas não estou vendo. Preciso acabar minha transcrição do mestrado, haja tempo.*
Tenho que corrigir o trabalho dos alunos, com tempo. É necessário folhear as notas e digitar, no tempo. Acabar as lembranças dos meus velhinhos pro fim do ano. Tempo. Elaborar duas palestras, afe, sem tempo! Cumprir as ta-

refas básicas da vida, cadê meu tempo? Cadê meu tempo? Cadê meu tempo? Não consigo nem prestar a devida atenção na aula, preocupada com o tempo."

P — *É uma bela digestão, inclusive divertida... Cadê meu tempo? E sua leitura é uma delícia. Você tem noção do ritmo e de modular a entonação para provocar a ansiedade que sente.*

Thais — *Engraçado que hoje de manhã o desejo dela era que o dia acabasse...*
Juliana — *É um desabafo...*
P — *Um dos propósitos da escrita é a digestão.*
Juliana — *A minha estava ruim esses dias...*

Mais do que o conteúdo escolhido, o importante foi captar e recolher o texto como secreção, como um fluxo contínuo. Na interface entre consciente e inconsciente, a coordenação motora relaxa e a caligrafia vira hieróglifo.

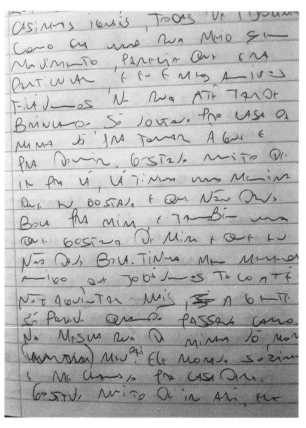

Secreção corporal, a letra cursiva sintonizando o pensamento
com a ação motora em seu ritmo natural.

Vida ordinária e escrita do cuidado

Para sensibilizar os participantes sobre os muitos elementos que a simplicidade da vida cotidiana oferece para compor histórias de vida, e também para chamar a atenção para a riqueza que pode surgir das experiências da frustração e do fracasso, a pesquisadora escolheu apresentar Manuel Bandeira, poeta maior do Modernismo brasileiro, que viveu entre 1886 e 1968.

Ainda moço, Bandeira foi diagnosticado com tuberculose severa, que deformou seus ossos e o empurrou para a solidão da doença contagiosa, estigmatizante. O que fazer, então? Dedicar-se à poesia, construir uma obra inteira sobre a vida que lhe coube.

O documentário *O habitante de Pasárgada*, de 1959, dirigido por Fernando Sabino e David Neves, foi incluído na oficina. A biografia de Manuel Bandeira cabe em pouco mais de nove minutos, reforçando o foco nas narrativas breves. E a câmera nos dá acesso ao corpo do poeta, no invólucro da própria casa, nas ações cotidianas. Enquanto a narração é feita com seus poemas, as imagens nos conduzem à preparação do café com torradas, a sentar-se diante da janela, a estar na cama escrevendo, a ir comprar o leite, a passar na banca de jornal... Novamente, coloca-se a necessidade de aprender e praticar a descrição corporal como trilha segura para a construção de textos consistentes que têm origem nas práticas de cuidado.

Essa sequência dos microgestos que fazem a vida de todo homem comum é, no contexto desta obra, a provocadora da pergunta-chave do processo formativo, já descrita no método dos cinco passos: como você faz o que faz? Como quem está a sua frente — na clínica, no ambulatório, na sala de aula, nos grupos — faz o que faz?

Como no caso do documentário em que aparece a personagem Tatiana, o vídeo é transmitido duas vezes. Na segunda, a pesquisadora vai fazendo pausas em momentos-chave, para evidenciar a sequência de gestos e as formas corporais do personagem.

Segue-se a leitura do poema "Testamento" (Bandeira, 1967, p. 65), também narrado no documentário e transcrito abaixo.

O que não tenho e desejo
É que melhor me enriquece.
Tive uns dinheiros — perdi-os...
Tive amores — esqueci-os.
Mas no maior desespero
Rezei: ganhei essa prece.
Vi terras da minha terra.
Por outras terras andei.
Mas o que ficou marcado
No meu olhar fatigado,
Foram terras que inventei.
Gosto muito de crianças:
Não tive um filho de meu.
Um filho!... Não foi de jeito...
Mas trago dentro do peito
Meu filho que não nasceu.
Criou-me, desde eu menino
Para arquiteto meu pai.
Foi-se-me um dia a saúde...
Fiz-me arquiteto? Não pude!
Sou poeta menor, perdoai!
Não faço versos de guerra.
Não faço porque não sei.
Mas num torpedo-suicida
Darei de bom grado a vida
Na luta em que não lutei!

Apresentado três vezes — na narração do documentário visto duas vezes e depois na leitura —, o poema provoca os participantes a olhar para a vida do homem comum, como um manancial de elementos para a construção de narrativas precisas, verídicas, capazes de transmitir um olhar que abarque a subjetividade do outro, considerando os aspectos objetivos, físicos, corporais que, por si sós, se bem percebidos, podem contar uma boa história.

P — *Como foi para vocês assistir ao filme sobre essa pessoa comum? Da perspectiva da pessoa comum? Dá para montar um personagem sendo uma pessoa comum?*

Marília — *Todos nós somos personagens.*

P — *Isso. Todos nós somos personagens o tempo todo, basta ter um olhar que faça esse recorte. E as histórias são reais, mas sempre inventadas. Isso pode nos ajudar a firmar um compromisso com o real, porém com a liberdade de criar a ficção. Outra coisa importante: ele não tem um compromisso com a felicidade. A poesia de Bandeira tem saídas para a tristeza, mas não tem compromisso com a felicidade. Precisamos nos perguntar: quanto temos essa fixação no padrão feliz? E por isso temos que escrever sobre o que deu certo, sobre a felicidade... Não seria essa também uma captura capitalista?*

O poema fala do filho que ele não teve, quis coisas que não conseguiu, não foi nada do que os pais queriam que ele tivesse sido. Ele foi outra coisa mais potente. E, nessa linha, eu gostaria de acrescentar a leitura de outros dois textos, para termos ainda mais elementos para o texto que vamos produzir a seguir.

O primeiro é um poema de J. B. Pontalis (1924-2013), filósofo, psicanalista e escritor, coautor (com Jean Laplanche) de *Vocabulário da psicanálise*, publicado em 1967. Pontalis foi aluno, analisando e contemporâneo de escritores célebres e vivia fortemente a tensão entre o material vivo da clínica e os textos formais, imortalizados pela Academia Francesa e pelos estudiosos da psicanálise. Porém, em um dado momento, ele começa a produzir textos que se originam de memórias de infância, de palavras mal compreendidas, de fatos abruptos, uma paisagem, uma descoberta, um fato corriqueiro, um diálogo fugaz. O fazer psicanalítico alimenta sua escrita e, mais do que isso, esses elementos tornam-se indissociáveis e originam o conceito de autografia, isto é, "uma maneira de escrever que não decorre nem do ensaio propriamente dito nem da autobiografia nem da autoficção, nem da confissão, nem de nenhuma forma literária claramente definida" (Delacomptée e Gantheret, 2007, p. 17-18). O trabalho de J. B. Pontalis cria um campo para textos desse tipo na literatura e eles não mais podem ser considerados produções menores em comparação com outras relativas à psicanálise. Os livros *À mar-*

gem das noites (Pontalis, 2012a) e *À margem dos dias* (Pontalis, 2012b) foram leituras inspiradoras para a publicação de *Ouço vozes* (Oraggio, 2017); porém, foi só durante a produção do presente texto que a pesquisadora descobriu o conceito de autografia.

> Ele sonhava ser piloto de caça. A resposta foi não (surdez do ouvido esquerdo).
>
> Ele tinha sonhado casar-se com Ana, a filha mais bonita de Paul, os seios mais lindos do mundo. A resposta foi não.
>
> Ele estava certo de que venceria o torneio de tênis de Arcachon. A resposta foi não.
>
> Ele pediu um aumento do Departamento de Recursos Humanos. A resposta foi um categórico não.
>
> Ele sonhava ser aceito na École Normal. A resposta foi não.
>
> Ele queria ter um filho homem. A resposta da Natureza foi não.
>
> Ele encaminhou o manuscrito de seu maravilhoso romance a um conhecido editor. A resposta foi não e, *in cauda venenum*, "obrigado por nos ter enviado".
>
> Ele queria tanto morrer sem sofrer (de uma parada cardíaca, por exemplo, durante o sono). A resposta foi não.
>
> (Pontalis, 2012a, p. 86)

O segundo texto, em prosa, é da mineira Conceição Evaristo (1946-), escritora negra que cunhou em 1995 o conceito de "escrevivência", afirmando que a escrita feita por mulheres descendentes de escravizados no Brasil vinha "não para adormecer os da casa-grande, mas para incomodá-los em seus sonos injustos".[7] Isto é, essa escrita feita por mulheres negras portava a vida dos escravizados, invisibilizados, uma escrita com força de instrumento de luta, uma ferramenta para criar desconforto na sociedade branca, escravocrata. É também a escrita que nasce da vivência, da experiência, da subjetividade de mulheres negras, porém aqui tomo emprestado esse conceito para ampliar a nossa mirada como profissionais de saúde, levando em

---

[7] Veja o vídeo "Escrevivência — Episódio 1", da série *Ecos da Palavra*. Disponível em: https://www.youtube.com/watch?v=4EwKXpTIBhE. Acesso em: 19 set. 2023.

conta os aspectos corporais, sociais e de resistência contidos na produção de texto, seja ela para fins profissionais ou acadêmicos. "Temos um sujeito que, ao falar de si, fala dos outros e, ao falar dos outros, fala de si".[8]

≡ Olhos d'água

Uma noite, há anos, acordei bruscamente e uma estranha pergunta explodiu de minha boca. De que cor eram os olhos de minha mãe? [...] Aquela indagação havia surgido há dias, há meses, posso dizer. Entre um afazer e outro, eu me pegava pensando de que cor seriam os olhos de minha mãe. E o que a princípio tinha sido um mero pensamento interrogativo, naquela noite se transformou em uma dolorosa pergunta carregada de um tom acusativo. Então eu não sabia de que cor eram os olhos de minha mãe?

[...]

Às vezes, no final da tarde, antes que a noite tomasse conta do tempo, ela se sentava na soleira da porta e, juntas, ficávamos contemplando as artes das nuvens no céu. Umas viravam carneirinhos; outras, cachorrinhos; algumas, gigantes adormecidos, e havia aquelas que eram só nuvens, algodão doce. A mãe, então, espichava o braço que ia até o céu, colhia aquela nuvem, repartia em pedacinhos e enfiava rápido na boca de cada uma de nós. Tudo tinha de ser muito rápido, antes que a nuvem derretesse e com ela os nossos sonhos se esvaecessem também. Mas de que cor eram os olhos de minha mãe?

[...]

Hoje, quando já alcancei a cor dos olhos de minha mãe, tento descobrir a cor dos olhos de minha filha. Faço a brincadeira em que os olhos de uma se tornam o espelho para os olhos da outra. E um dia desses me surpreendi com um gesto de minha menina. Quando nós duas estávamos nesse doce jogo, ela tocou suavemente no meu rosto, me contemplando intensamente. E, enquanto jogava o olhar dela no meu, perguntou baixinho, mas tão baixinho como se fosse uma pergunta para ela mesma, ou como estivesse buscando e encontrando a

---

8 Idem.

revelação de um mistério ou de um grande segredo. Eu escutei quando, sussurrando, minha filha falou:

— Mãe, qual é a cor tão úmida de seus olhos?

(Evaristo, 2015, p. 15-19)

O texto original tem quatro páginas e a leitura é feita por todos os participantes, corporificando a ação de ler em voz alta, uma prática das mais antigas, que dá origem ao vocábulo "colega", do latim "*co-lerum*" ("ler com").

P — *Esses textos e o filme foram um estímulo para que cada um crie um personagem e tente escrever a história de uma pessoa comum. O que você vai contar sobre ela? Não em primeira pessoa, com a ideia de olhar o outro. O desafio é criar um personagem que conte uma história que inclua as descrições corporais, que fale das várias camadas — sensorial, corporal, do ambiente, social —, que nos conecte com outra realidade. Pode incluir o fracasso e tudo que não é idealizado, sem o menor compromisso com o final feliz... nem com um final. E trazendo as tensões entre opostos: é meu, mas não lembro, fracasso-sucesso, alegria-tristeza. Temos 20 minutos para fazer essa primeira versão, depois dá para reler, refazer, acrescentar, tirar. Esse texto é só um começo.*

E vieram os textos:

Marília — "*Esse homem que já nasce cheio de privilégios, de família tradicional, branca e baiana. Não apenas nome, sobrenome e posse, tinha a cabeça cheia também, cheia de profundidade, de conhecimento... e como se não bastasse era bonito, tinha bom gosto para desenhar ainda que, grosso modo, seus próprios ternos, suas próprias roupas. Tantos privilégios de nada serviram: o mandaram para o sanatório tratar-se de tuberculose, sem estar acompanhado de ninguém. Este homem, do signo de escorpião, além de tudo era intenso. Matou a doença, mas não conseguiu superar o medo da morte para a eternidade que viria. Porém a tuberculose até que foi boa. Por causa dela, ele conheceu aquela que foi sua companheira nos próximos 60 anos. Ela enfrentou o medo do contato e a ira dos seus tios árabes para que aquele homem não morresse de solidão. Esse homem com tanta sorte, com tantos privilégios, não conseguia ser doce. Bondade era uma coisa, doçura e gentileza eram outra. Homem sendo homem: fechado, bruto e egocêntrico. Ele conquistou, inventou, produziu, desenvolveu, mandou. Ganhou muito dinheiro, ganhou muitos, muitos prêmios e muito ego também. Era lindo, desejado, bem vestido, admirado e... tímido. Antes dos 30, um acidente o deixou manco e com fortes dores crônicas, mas ele só deixou a vida aos 86 anos..."* [texto não concluído].

P — E essa pessoa você trouxe de onde?

Marília — *Meu avô, que era assim o Manuel Bandeira escrito, o jeito de pegar o telefone... ele escrito. Ele era um crânio e ele sabia tudo do Manuel Bandeira, de cor. Ele morreu de velhice... Ele era um homem incrível e insuportável.*

P — *Peço que escolham quatro dos textos produzidos aqui nas oficinas, para entregar ao final dos dez encontros. Mas, antes, leiam, releiam, cortem, acrescentem, excluam adjetivos desnecessários, palavras repetidas, corrijam a pontuação, escolham bem os verbos para contar o que querem contar. Mudem o que quiserem e só depois entreguem. A intenção é reunir tudo isso num e-book, que consolide uma produção nossa.*

E vieram os textos, cerca de 35, que foram revisados, preparados e organizados em capítulos para compor uma publicação coletiva no *e-book Com a roupa do corpo*.[9]

As etapas do processo de produção de uma publicação — produção de texto, projeto editorial, revisão, preparação de texto, diagramação, produção da capa, meios impressos e digitais — foram tema do nono encontro das oficinas. Os participantes puderam manusear vários tipos de livro, percebendo as muitas escolhas que são feitas para que os textos se tornem publicações.

---

[9] O link para *download* gratuito do livro pode ser solicitado pelo *e-mail* loraggio@gmail.com.

1
2
3
4
5
6

Formando quem cuida de cuidar

> *Ela, ele, mar. Marielle.*
> *A morte dela em mim é mar.*
> *E eu?*
> *Tento tornar-me verbo.*
> *Enverbalizar-se é tornar-se vivo.*
> *Vivo.*
> *Ao escrever, matei.*
> *Já não era corpo. Era lugar.*
> *É palavra.*
>
> **Larissa Schmillevitch**, *in Ins Tantan E Os*

Ao longo do semestre, nas "Oficinas Corpo, Escuta e Escrita — Experimentos Textuais Formativos", o foco era ora o corpo, ora a escuta de si e do grupo (que produziu lindos diálogos) e a escuta do outro, aquele outro com quem lidamos na clínica e nos dispositivos de saúde. Algumas vezes, o foco foi disparar estímulos para a produção de textos em camadas de sentidos e em prontidão. E, também, estímulos para a leitura de vários estilos literários, pois ser leitor é condição para escrever bem. Todos esses elementos fizeram uma trama que enriqueceu o repertório pessoal de cada participante e contribuiu para aprimorar a sensibilidade para atuar com mais precisão e clareza tanto na rotina profissional como na produção acadêmica. Essa análise foi possível a partir da compilação dos questionários respondidos pelos participantes.[10]

Escrita e micropolítica de resistência

Mais do que resultados, foram multiplicados muitos efeitos, pois estamos palmilhando um campo que, há muito, intriga até mesmo os grandes escritores: é possível aprender a escrever? Como se forma um escritor? O que está em primeiro plano não é a formação de escritores, mas a formação de profis-

---

[10] O modelo do questionário encontra-se no Anexo.

sionais de saúde capazes de transmitir conhecimento enraizado em práticas de cuidado — práticas essas que também vão sendo transformadas pela reflexão inerente à escritura. Nessas travessias e na elaboração do material para a qualificação, ficou claro que estamos trabalhando com aspectos da formação para profissionais de saúde que são indissociáveis dos atravessamentos políticos. No Brasil, produzir saúde coletiva e pública é ato de resistência.

> [...] a política é a forma de atividade humana que, ligada ao poder, coloca em relação sujeitos, articula-os segundo regras ou normas não necessariamente jurídicas e legais. Não mais pensada exclusivamente a partir de um centro do poder (o Estado, uma classe), a política se faz também em arranjos locais, por microrrelações, indicando esta dimensão micropolítica das relações de poder (Foucault, 1977). Nesse sentido, podemos pensar a política da narratividade como uma posição que tomamos quando, em relação ao mundo e a si mesmo, definimos uma forma de expressão do que se passa, do que acontece. Sendo assim, o conhecimento que exprimimos acerca de nós mesmos e do mundo não é apenas um problema teórico, mas um problema político. [...] Na pesquisa em saúde o objeto exige um procedimento que possa incluir sua dimensão subjetiva, já que toda prática de saúde se faz no encontro de sujeitos, ou melhor, pelo que se expressa nesse encontro. (Passos e Barros, 2009, p. 151)

Além de todas as práticas de cuidado que dominamos no nosso fazer, quem se dedicar a deixar o registro escrito do que faz e de como faz, com clareza, com foco nas descrições das ações, consciente de que isso também forma e transforma o tecido social, estará colaborando para fazer as histórias pessoais, únicas, singulares se integrarem com o tecido vivo da história social, da história de um tempo. As microações em microcontextos servem de base para retratar um macrocontexto, como já fizeram muitos escritores, entre eles Anton Tchékhov (1860-1904), que também era médico, portanto, profissional da saúde. Seus contos e peças foram imortalizados por serem um registro realista da sociedade russa — seus males, fracassos e triunfos — do final do século 19 ao começo do 20. Ele faz uma observação específica sobre escrever a respeito de estados de espírito em seu livro *Sem trama e sem final — 99 conselhos de escrita* (Tchékhov, 2007, p. 68): "Na esfera da psique também são os detalhes que contam. [...] O melhor de tudo é evitar descrever o estado de espírito das personagens; deve-se fazer com que ele seja apreendido a partir de suas ações". Justamente, as descrições corporais, que foram muito praticadas nos experimentos, se mostraram um caminho seguro para contar histórias que brotaram na clínica ou em outras práticas de cuidado.

O diálogo a seguir tem muitos dos elementos desafiadores para quem se envolve em transformar em texto o que vive em seu ambiente profissional.

Esmeralda — *Tenho muita dificuldade em escrever sobre os sentimentos. Não sei se é pelo tipo de trabalho, pelos textos técnicos ou muito formais que fazem parte do dia a dia. Uma exigência constante, como fiscal de segurança do trabalho, é deixar de lado os sentimentos. Faço inspeções, observo as condições de segurança dos trabalhadores e redijo relatórios. Trabalho muito com a escrita. Basicamente, meu trabalho é observar e escrever, observar e escrever. Mas eu odeio escrever; se eu pudesse, só falaria. Tenho muita dificuldade em produzir outro tipo de texto.*

P — *Imagino que nos processos de inspeção você privilegie a descrição das coisas. Mas nem a mais descritiva das descrições é neutra.*

Esmeralda — *Sim. Sempre tem o meu olhar ali.*

P — *Sempre tem a subjetividade ali. Porque é Esmeralda que faz e não é Joaquim ou José. Porque tem um olhar que você foi afinando para perceber certas coisas. Aí abrem-se dois problemas. Primeiro, você fica muito específica e fica no mecânico. E o outro é esquecer que o seu olhar é subjetivo. Mesmo no texto público de um relatório, seu olhar tem um valor, e a articulação que você faz para aquilo ser uma descrição depende da sua subjetividade. Depende do seu estado de presença, da sua percepção, da sua capacidade de ouvir, de perceber detalhes, da sua capacidade de metabolizar e sintetizar. Tudo isso é subjetivo. Se levarmos duas pessoas com a mesma competência técnica para o mesmo acontecimento, certamente os relatórios vão ser diferentes. Então, a escrita íntima não é só coração, sentimento, floreio, é a escrita da subjetividade.*

Esmeralda — *Percebi nos últimos tempos que há fatos que são quase impossíveis de digerir... Demoro para produzir o relatório porque não digeri o que* aconteceu. Neste último semestre, para mim está muito difícil escrever. Não sei se foram coisas muito pesadas... Produzi muito em ação, mas não na escrita.

P — *Mas você fez os documentos?*

Esmeralda — *Fiz.*

P — *Essa sensação de não digerir, o que vira?*

Esmeralda — *Paralisia. Não consigo terminar.*

P — *O que é difícil de digerir? Fatos relacionados à política? A este primeiro ano do (des)governo Bolsonaro?*

Esmeralda — *É. É horrível o que eu vou dizer... mas neste último ano, toda vez que a gente vai fazer uma inspeção, o que a gente ouve é "Agora vai mudar tudo", em tom de deboche. Agora tem uma nova política... é como se dissessem que o que você está fazendo hoje, amanhã, não vai valer mais nada.*

P — *Você faz inspeções em empresas de que tipo?*

Esmeralda — *Construção civil, restaurante, verificando a saúde do trabalhador em vários tipos de estabelecimento. A maioria, onde ocorreram acidentes de trabalho. Antes, as ameaças não aconteciam com frequência. Agora parece que não tem problema intimidar, ameaçar. Já não é vergonhoso falar que conheço fulano pra me dar cobertura... e... por incrível que pareça, isso está me machucando.*

P — *Que bom que você pode falar isso aqui.*

Esmeralda — *Faço a inspeção e volto depois de um tempo para verificar se as adequações que pedi foram feitas, para que as licenças sanitárias possam ser emitidas. E não sou benquista. De um tempo pra cá, literalmente, barram a minha entrada e tenho que bater de frente.*

P — *Você vai sozinha?*

Esmeralda — *Sim, na maioria das vezes. Então, assim, essas circunstâncias... ficou natural fazer isso. A gente regrediu muito. Em um ano, a gente regrediu muito... E isso não posso pôr no papel.*

P — *E isso não poderia ser incluído no seu relatório? Você considera importante deixar um registro desse tipo de intimidação?*

Esmeralda — *Isso pode aparecer na minha dissertação de mestrado. Mas gostaria que aparecesse num relatório para o Ministério Público. Como eu posso escrever? Tentou obstruir ou dificultar a fiscalização. Essa frase não é a metade do que eu quero colocar.*

P — *Você está num limiar bem interessante para cuspir esse sapo. Primeiro, que engolir sapo faz mal. Segundo, você tem esse instrumento, pode ainda não ser o texto oficial, mas pode produzir um texto que expresse seu mal-estar social. Essa é uma forma de se cuidar da indigestão de acontecimentos profissionais. Dar voz para isso, para sair do lugar silenciado da vítima... Pergunto: por que você não pode se apropriar do relatório como um espaço de organizar essa narrativa dramática, sem florear, apenas descrevendo o que viveu? Não vai imaginar, nem inventar, nem criticar ninguém, apenas descrever ou reproduzir um diálogo que explicite a intimidação.*

Esmeralda — *Se eu estivesse começando o mestrado hoje, faria mais narrativas das inspeções e menos os relatórios. Não estou sendo partidária, mas sinto que mudou.*

P — *É... parece que mudou a senha do mundo.*

Esmeralda — *Mudou como a sociedade está se organizando.*

P — *Ou desorganizando.*

Juliana — *O que você fala é assustador. Nesse país as questões de ética sempre foram muito estranhas. Não ter ética parece que se tornou algo normal, natural e que faz parte da cultura do país. O que antes era velado agora está se tornando escancarado e naturalizado. E aonde vamos chegar desse jeito?*

P — *A escrita pode dar visibilidade a isso e fazer uma resistência contra a naturalização de certos processos. Se estamos na universidade, pesquisando, se não falarmos do que importa, quem vai falar? O mestrado, ele é passível de não ser lido. Vai lá ficar depositado, mas é o seu lugar, é o lugar em que você pode pôr sua voz, sua marca. Acho que nas oficinas você tem absorvido muito bem os instrumentos para fazer isso. Pode ser uma descrição, pode ser um diálogo e um anexo. Você pode fazer tudo como está fazendo, mas incluindo as questões éticas que estão sendo quebradas no seu trabalho. Somos nós, profissionais de saúde, fazendo isso, neste momento. A escrita política não precisa ser panfletária, mas pode ser ferramenta para articular os impactos do momento.*

Esmeralda — *De que modo incluir?*

P — *Como você vai fazer o que vai fazer? Vai ser um capítulo, vai ser inserção de outros autores que falem da ética, vai procurar fontes na antropologia, na sociologia, além das referências da psicologia ou do direito trabalhista. Tudo isso é articulação e a escrita serve para isso. Ela é a digestão de momentos da história pequena — a minha, a sua — que está dentro de uma história grande, história social.*

Então, nesse diálogo de alguns minutos, tocamos em vários aspectos importantes da escrita. A digestão e a construção da identidade — seja ela do trabalho, do cidadão, do personagem. E também surge a necessidade de cuidar dessa pessoa que foi afetada pela intimidação, está contendo a raiva no corpo e despotencializada diante do acontecimento.

P — O que aconteceria se, num exercício de escrita íntima, a princípio para não mostrar para ninguém, você falasse tudo o que quer falar? Por que não pode vomitar no papel? Pode. Experimente e veja que efeito provoca.

Um dos efeitos mais diretos da escrita é o da desintoxicação. Quem trabalha na clínica tem essa prática de escrever sobre os pacientes, para rememorar, para ter o histórico, mas muitas vezes isso provoca uma desintoxicação. A pessoa vem num estado alterado, afetada por uma doença mental, onde vai digerir isso? Vai lá na sua inspeção e vive essa violência, onde vai expressar? Pode contar para o marido, mas é algo interno, do nosso fazer, que a gente tem que achar instrumento para dar vazão. Proponho que você faça esse exercício.

Esmeralda — Nossa! Sou capaz de rasgar... de tanta raiva.

P — Então, essa raiva precisa vir, essa raiva está toda presa no seu corpo. Em várias falas suas você demonstra que vai engolindo tanto e a raiva vai ficando tão represada, tão represada, que vira melancolia, desânimo. Mas há um recurso para retomar esse fluxo: escrever. Não tem que pagar consulta, não tem que depender de ninguém, é apenas você, a folha de papel em branco para receber tudo o que você quiser expressar. Uma das grandes aflições da espécie humana é dar nome às coisas, certo? Tudo começa pelo nome... nomear as coisas é um modo de compreendê-las. Não à toa, começamos o ciclo de oficinas pela história dos nossos nomes. Então, o convite é para que cada um, afetado por esse diálogo com a Esmeralda, faça uma narrativa sobre uma angústia, na intenção de cuspir o sapo que ficou entalado na garganta. Estamos aqui com tempo e ambiente confiável para essa produção.

Ler com o corpo, digerir em palavras

Vinte minutos depois, Esmeralda concorda em ler seu texto.

P — *Agora vamos à leitura. Pra isso, Esmeralda, você vai emitir a sua voz nessa intenção da desintoxicação. Presta atenção no seu corpo. Como pode fazer emissão melhor da sua voz? Como posicionar peito, garganta? Talvez posicionar os pés no chão... Tenta achar um modo de sentir que as palavras vêm do seu corpo... Pode ser experimental, pode mudar, vai ensaiando esse conforto, sem perder a perspectiva de que o seu corpo todo é uma caixa acústica, que você vai emitir esse texto e quer a nossa atenção.*

Esmeralda — "Havia prometido que não sairia mais com aquele colega, porque não gostava da postura dele como fiscal. Reclamava da inspeção, me motivava a aplicar a penalidade, mas não se posicionava, não ia para o enfrentamento. Após a primeira inspeção, pediu minha ajuda, pois considerou o local perigoso. Chegando ao local, fui recebida por um dos trabalhadores da obra. Pedi que me mostrasse as instalações e o meu colega, aquele que havia pedido a minha ajuda, logo me desdenhou, interferindo:

— *É que ela não é engenheira...*

Me senti afrontada e respondi:

— *Não sou engenheira, mas sou fiscal de segurança do trabalho.*

Passado o mal-estar inicial, o empregado foi me mostrando os diversos locais da obra: cozinha a céu aberto, mesa de refeição sem condições de higiene, sanitários sem água. E outras irregularidades que colocavam em risco os trabalhadores. Mas eles não enxergavam isso como um perigo. Melhor dizendo: era comum. Os operários não viam o risco a que estavam expostos. O meu maior espanto e indignação eram com o meu colega, que, apesar de todas essas condições insalubres, incluindo a presença de drogas e bebidas, em nenhum momento colocou isso em seu relatório. Preferiu me chamar para que eu averiguasse essa situação. Terminada a inspeção, chegou o responsável pela obra. Foi chamando pelos funcionários pelo apelido. Mantive minha postura e chamei-o pelo nome, ele se dirigiu a mim em tom intimidador. Aquele homem chegou me intimando e perguntando:

— *Qual é o problema?*

Eu comecei a explicar, enquanto meu colega, ao pé do meu ouvido, falou várias vezes:

— Vamos multar.

Mas não dirigiu a palavra ao outro homem, o responsável pela obra. Senti que estava numa situação enrascada.

Fiz todo o discurso das inconformidades que encontrei e mostrei as fotos que comprovavam. Novamente, autuei como um caso de adequação. Não fiz o que meu colega queria.

Aquele que chegou me intimidando agora estava sendo intimidado. Aquele homem me deu horror.

Dias depois, retornei à obra junto com meu colega. Vi que algumas adequações pedidas na inspeção tinham sido cumpridas, já outras não, estavam mascaradas. Quando questionei, ele gritou comigo e disse que eu não ia entrar, citando o nome de algumas personalidades políticas a quem iria reclamar da minha pessoa e do meu trabalho. Meu colega parecia que nem estava lá. E eu tentando me acalmar. Novamente, percorria aquele espaço e o homem gritando atrás de mim.

Foi quando virei e respondi:

— Fulano pode até achar que está bom, mas eu estou aqui como fiscal.

Acionei a polícia por desacato e por tentativa de obstruir a fiscalização. Naquele momento, percebi que o colega que estava ali para me apoiar não estava me dando apoio. Foi quando o proprietário do imóvel respondeu que as coisas estavam assim e que não iam mudar, que as pessoas 'vermelhas' como eu estavam com os dias contados. Naquele momento percebi que eu estava usando uma camiseta vermelha.

Eu nunca me senti tão horrorizada. Quando a polícia chegou, vi aquele valente calado diante dos policiais. Mas, com muita raiva, fiquei desamparada e exposta ao fazer o meu trabalho. Trabalho que existe para que a sociedade veja que é natural o usuário de drogas ser vítima de acidentes de trabalho."

P — *Como é fazer esse texto e falar esse texto num ambiente que é confiável e que tem escuta para isso que você disse?*

Esmeralda — Eu fico com vontade de chorar...

P — *Aqui, cabe.*

Esmeralda — [olhos marejados] Porque... [pausa] o próprio acidentado, usuário de drogas, se declarou culpado pelo acidente. Multei as irregularidades que estava vendo. E o meu colega não se posicionou. Depois fomos embora *e eu fiquei péssima. Primeiro porque me senti exposta. Para o operário, empregador está sendo bom. Está dando lugar para os operários dormirem, está dando comida para eles. A escravidão só mudou de nome.*

P — *Você percebe que nesse texto você coloca o que viveu e pode voltar para ele e inserir muitos outros detalhes, para dar esse corpo para a situação? Já tem, mas acho que o texto fica forte já na afirmação. Você não é engenheira. Ali começa o texto. Aquilo que vai falando descreve a situação e tem esses elementos e essas questões suas.*

Esmeralda — *Teve um momento em que o dono da obra colocou todos os operários em volta de mim e disse: "Ela está falando que vocês não podem mais trabalhar aqui". Como se eu estivesse tirando o trabalho deles.*

P — *Como se você fosse a culpada pelo desemprego deles. É uma situação de muito constrangimento. Como é que você vai passar esse constrangimento para o seu texto? Imagino você num círculo de homens irados, à beira de perder o emprego, alguns drogados ou alcoolizados. Esse é o grande medo, e aí você tem medo de escrever isso, de descrever a cena.*

Esmeralda — *Sim, não contei no texto, mas quando chamei a polícia, o dono da obra também chamou a polícia, como se ele fosse a vítima da minha autuação. Mas a polícia veio pelo meu chamado. A polícia perguntou ao meu colega o que havia acontecido e ele respondeu: "Eu não sei, não vi nada".*

E ao contar o episódio (que atravessa a aula e surpreende a todos pela densidade, pela injustiça, pela omissão, pelo machismo, pela violência), Esmeralda revela muitos outros detalhes que não vêm ao caso agora, mas configuraram um risco para ela, uma fiscal do trabalho, envolvida em uma situação de constrangimento, com muitos atravessamentos éticos e políticos. Há uma longa pausa, em que todos ficam em silêncio até que ela possa respirar, deixar vir as lágrimas e, no próprio ritmo, consiga digerir o susto, aquele susto acontecido em ambiente profissional, no cotidiano do ofício, e que não cessou quando o expediente foi encerrado.

P — *As cenas que você relata são muito fortes, aconteceram na realidade e você pode descrever o que viveu. Proponho que você volte para esse texto e descreva com detalhes as cenas mais contundentes, sem se preocupar com o fio condutor. Talvez um modo de fazer isso seja descrever as cenas que viu, como se fossem captadas por uma câmera. Filmou tudo o que estava errado em dois minutos. Acho que isso vai dar um ritmo à sua intensidade... O seu texto tem a intensidade e o que conta tem intensidade muito maior. Se descrever, não precisa transbordar emoção, não precisa explicar. Assim, você consegue manter o impacto do texto. E vai falar, dar testemunho de uma realidade do contexto social brasileiro, trabalhista, hoje. Você tem na mão material muito potente no aspecto de retratar a história social. E, da próxima vez que passar por algo tão excessivo, você pode escrever imediatamente depois, para dar fluxo a essa intensidade, para recuperar o lugar de agente de si e não de vítima de um sistema. A escrita é uma maneira de evidenciar os conflitos. Você, como uma pessoa que escreve, pode relatar a sua história social e você é uma agente da história social, num campo social que é a segurança do trabalho. Você não precisa ser empática na escrita. A escrita, quando evidencia o conflito, cria uma tensão, e isso é apaixonante para o leitor. Por ora, está bom de desafio e capricha na digestão. Gostaria que você não desistisse desse texto. Que voltasse a ele como uma produção sua, genuinamente sua. Você viveu isso, é o seu trabalho, são essas pessoas, é uma história viva que seu texto pode revelar, e, se quiser que saia do contexto particular, ele pode ir para outro contexto público.*

Realidade ficcional, ficção real

É comum que os profissionais de saúde sejam convidados a apresentar casos em contextos públicos, para seus pares. Esse é o desafio para um dos participantes das oficinas, que já disse que aproveita o nosso tempo ali para "colocar as ideias em ordem" e esquematizar os próximos passos nos atendimentos, no mestrado, na atuação em saúde coletiva. Já com desenvolvida habilidade de escrita, e estimulado pelas discussões sobre o texto ser sempre ficcional — mesmo que tenha base em fatos reais, pois é uma representação, uma releitura do real — e pelo trabalho com os personagens e as descrições corporais como modo de fazer um recorte na realidade, Leandro decide, então, apresentar um caso em formato de carta. Um personagem fictício, formado a partir de características de vários meninos, envia a carta manuscrita ao psicólogo e ele lê essa carta, sem revelar que é ficção, para seus pares psicólogos, reunidos em um simpósio que discute as intervenções em casos de abuso sexual infantil, em Conselhos Tutelares.

Leandro — *"Queria te contar uma coisa que eu não consegui falar no dia em que fui conversar na sua sala, por isso resolvi escrever esta carta. Quando você me perguntou do meu pai, eu travei e fiquei mudo. O que eu queria te contar era o que acontecia comigo quando eu passava férias na casa do meu pai e da minha avó... [...] Eu ainda amo meu pai, mas a minha mãe fala que eu vou poder ver ele de novo se o juiz deixar, e por isso eu tenho que contar toda a verdade para você e a verdade é essa. Eu amo meu pai, eu quero voltar a ir para a casa dele do jeito que era antigamente. Era isso que eu queria que você falasse com o juiz."*

Fui falar em um simpósio de Psicologia Jurídica. Apresentei o trabalho a partir da carta infantil.

A carta manuscrita que amalgamou vários casos em um único personagem.

P — *E como foi a recepção?*

Leandro — *As pessoas acharam que era mesmo uma carta da criança.*

P — *O que você pretendia ao apresentar o assunto assim, dando voz ao menino?*

Leandro — *Faz parte do meu projeto de pesquisa produzir uma escrita que aborde um problema de várias perspectivas. Para trabalhar os conceitos do que é a Verdade e como moldamos a noção de Justiça.*

P — *Você usou muito bem a descrição corporal na carta, falando de como o menino brincava, como foi a ação do pai, do médico, e dá cortes que tornam a narrativa verossímil. Foi fácil para você?*

Leandro — *Não foi pensado. Queria que parecesse um menino de dez anos. A carta começou com uma memória das minhas férias na infância. Depois fui misturando com cenas de outros casos que atendi, dos abusos que chegaram à minha escuta. Tudo que escrevo tem algo de concreto, da experiência vivida, nunca conseguiria partir do nada. Dessa forma, recortei vários aspectos de vários casos e a junção deles foi fluindo de maneira orgânica.*

A carta, escrita em primeira pessoa, revela o segredo do menino e tem um impacto especial, diferente do das narrativas em que o profissional assume o lugar de observador, de especialista. O texto aqui cumpre o papel de revelar um segredo, quebrar o silêncio opressor, ser testemunho. Em sua dissertação, Leandro incluiu vários textos esboçados durante as oficinas, como o seguinte, produzido depois de uma prática corporal em que todos caminhavam lentamente, sentindo a transferência de peso de um pé para o outro, entrando em conexão com a força da gravidade e a noção de equilíbrio.

Leandro — "*L se viu sem chão, precisando se apoiar em seus pequenos calcanhares para não cair, afinal sua base era pequena para equilibrar todo o seu tamanho. L estava ali, absorto naquele exercício, tensionando todo o seu corpo para não desabar sobre si mesmo. Era uma letra só, e uma letra só não serve para muita coisa. Pensava que se fosse como o A ou o H, com os dois pés no chão, ou ainda como M, que tinha o luxo de ter três pés de apoio, não estaria naquela situação. Focado em seu problema, L continuou ali, se equilibrando para não cair.*"

Com a roupa do corpo

Um vestido com estampa de antigos mapas náuticos, adquirido numa feirinha de rua, foi peça-chave nos encontros. Além de ser usado como uniforme em todas as aulas, ao final do processo, no último encontro das oficinas, a pesquisadora despiu-se dessa pele do trabalho. Essa peça de roupa, impregnada por toda a experiência, por tantos deslocamentos corporais e de linguagem, foi colocada no centro do círculo, tornando-se o suporte de uma criação coletiva, que sintetizou todo o percurso vivido nas oficinas. Os participantes foram convidados a escrever, em fitas de algodão, frases ou palavras que descrevessem a experiência; em seguida, deveriam fixá-las com alfinetes no mapa-vestido.

Com a confiança construída ao longo da jornada, todos se puseram a produzir esteticamente esse momento lúdico. Sem resistência, como crianças, usaram o chão como apoio para escrever e, de gatinhas, iam deixando suas marcas naquela superfície. Curioso como muitos escolheram o lugar de fixar as fitas não pela estampa do mapa, mas pelo lugar do corpo que o vestido havia moldado: o coração, os ombros, o estômago, a barra para evocar as pernas e as descobertas que haviam feito durante as práticas. Ali, absortos, encerramos essa experiência com essa qualidade de atenção, de cooperação. Terminada a fixação das palavras, formamos em volta do vestido um círculo com os cadernos abertos, com as caligrafias à mostra, e ainda outro círculo foi feito com os textos impressos, escolhidos pelos participantes para integrar uma publicação. Então, formamos nós todos, com nosso corpo embebido de um semestre muito encarnado, outro círculo e dançamos juntos uma ciranda, como se o chão fosse de areia.

O vestido foi transformado em um livro-objeto, incluindo textos de todos os participantes. O vestido tornou-se LIVRO e os alunos tornaram-se AUTORES.

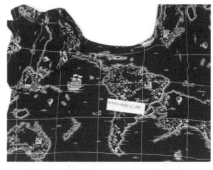

Formando quem cuida de cuidar

Uma produção coletiva de conhecimento feita com o corpo, com a escuta e pela escrita.

123456

O avesso da tapeçaria

A trama dos métodos

Inspirada pelo livro *O belo perigo*, de Michel Foucault (2016), tomo emprestada dele a expressão que dá título a este capítulo, pois, sem metáforas, e pelo sentido literal, é preciso mostrar o avesso deste texto-tecido com tantas presenças amalgamadas. A palavra "texto" vem do latim "*tessitum*", que é também o berço etimológico da palavra "tecido". Tecido tem duas faces: o direito, o que fica à mostra, é mais liso, com fios penteados e textura mais uniforme do que o avesso, que fica voltado para dentro, mais rústico e sujeito às imperfeições de trama e de estampa. Porém, é o avesso do tecido que fica em contato com a pele do corpo que o veste. Pele, por sua vez, que é o magnífico tecido que envolve nosso corpo, fazendo a fronteira do mundo até a nossa membrana e dando contorno a tudo o que vai da pele para dentro.

Como, então, foi possível tramar no mesmo tear e deixar abertos os poros dos princípios do método cartográfico, do método dos cinco passos, que é eixo da psicologia formativa de Stanley Keleman, e ainda o método das "Oficinas Corpo, Escuta e Escrita — Experimentos Textuais Formativos"?

Como na clínica formativa, para orientar os pulsos e conhecer as linhas de força do corpo-texto, a pesquisadora começa traçando um somagrama. Desta vez, não uma representação gráfica do próprio corpo, mas um desenho do corpo do texto, que evidencia as camadas estruturantes desta pesquisa-intervenção. Mais do que uma associação, uma descrição do que se sobrepõe nessa composição de elementos, ao mesmo tempo tão vastos e tão ricos.

A camada ectomórfica, que dá conta das sinapses, da produção dos mapas neurais e dos estímulos elétricos, ramificados, rizomáticos, que sustentam e propiciam as ações na anatomia humana, corresponde ao método cartográfico, com sua microporosidade capaz de incluir e articular muitas linguagens como estímulos abertos para saídas múltiplas, conforme Suely Rolnik (2011, p. 65-66):

≡ A prática de um cartógrafo diz respeito, fundamentalmente, às estratégias de formações do desejo no campo social. [...] Pouco importam as referências teóricas do cartógrafo. O que importa é que, para ele, teoria é sempre cartografia. [...] Para isso o cartógrafo absorve matérias de qualquer procedência. Não tem o menor racismo de procedência, linguagem ou estilo. Tudo o que der língua para os movimentos do desejo, tudo que servir para cunhar matéria de expressão e criar sentido, para ele é bem-vindo. Todas as entradas são boas, desde que as saídas sejam múltiplas. [...] O cartógrafo está sempre buscando elementos/alimentos para compor sua cartografia. Este é o critério de suas escolhas: descobrir que matérias de expressão, misturadas a quais outras, que composições de linguagem favoreçam a passagem das intensidades que percorrem seu corpo no encontro com os corpos que pretende entender. [...] O que ele quer é mergulhar na geografia dos afetos e, ao mesmo tempo, inventar pontes para fazer sua travessia: pontes de linguagem. [...] Neste sentido, a cartografia vai mapear tais linhas constitutivas das coisas e dos acontecimentos ao explorar territórios existenciais e, assim, acompanhar processos de produção de subjetividade de forma a criar um mapa móvel das "paisagens psicossociais". (Rolnik, 2011, p. 65-66)

A camada mesomórfica, isto é, a camada muscular, responsável pelas ações voluntárias, pela forma, pelos modos do vivo, na anatomia emocional corresponde ao método dos cinco passos, que, como já apresentado, responde à pergunta-chave: *como faço o que faço?* Este texto é fruto de infinitas ações programadas para abrir campo para que o acontecimento espontâneo pudesse acontecer, gerando outra infinidade de ações reveladoras das potências do corpo, das qualidades de escuta e das possibilidades da escrita e criação de obra coletiva, livro-objeto, *e-book*, no vasto campo do cuidado.

Por fim, a camada endomórfica, visceral, com suas texturas lisas e movimentos involuntários, que a pesquisadora associa ao método das "Oficinas Corpo, Escuta e Escrita — Experimentos Textuais Formativos", fruto da digestão de mais de 30 anos de contato com a literatura, com o estudo das práticas terapêuticas e da psicologia. É nesse ambiente, que digere os nutrientes e faz passar pelas camadas profundas da anatomia e das subjetividades, que se gesta esta proposta de micropolítica de resistência para trazer calor e recolher as secreções — conteúdos apresentados, textos literários, cadernos de notas dos alunos, fotografias, áudios, registros de todos os tipos, o diário virtual do pesquisador — capazes de fertilizar novos vínculos e conexões sensíveis individualmente, no grupo, no coletivo.

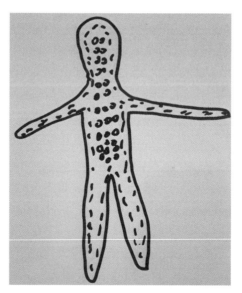

O método cartográfico envolvendo todo o texto; em linha contínua, pontilhada, a camada das ações propostas pelo método dos cinco passos, de Keleman; em bolinhas, a camada visceral associada ao método das oficinas e a tudo o que foi metabolizado nesse campo de experimentação.

Portanto, o método desta pesquisa-intervenção é tecido no trançar do fio da cartografia, do processo formativo e das oficinas, aquecido pelo calor dos encontros — de pessoas e metodologias. Esses elementos químicos, alternados, intensificados ou desintensificados, fazem surgir singularidades e potências não previstas, não ensaiadas, sem respostas prontas. Citando alguns desses momentos: o ressignificar do nome de Zilmara depois da narrativa de seu nascimento feita por outro; o pausar para Esmeralda reconhecer a solidão e as ameaças vividas durante um dia de trabalho; o maravilhamento de Renato ao descobrir a anatomia do ouvido, ele, que voltou a escutar após um implante coclear; a lentificação de Simão, que alterna a vida de estivador com a vida de universitário tardio, que pode experimentar formas mais sutis de se expressar, "aqui, ganhei calma", disse ele; o parar para sentir que a nova fase da vida, a aposentadoria, reconecta Viviane com uma hesitação infantil; o compreender a própria ansiedade de "mil ideias na cabeça" diante do "papel em branco", que fazia Carla reter seu fluxo de escrita; o repetir o exercício de escrever que fez Juliana sair do estado "eu odeio escrever" para o estado "vou incluir diálogos na minha dissertação", e tantas outras microtransformações observadas no semestre que passamos juntos, fazendo de novo e de novo a mesma mistura alquímica, que respira e deixa respirar os corpos, as subjetividades e as imbricações psicossociais em que estamos todos imersos.

Mosaico humano, marcas e dobras

O método das "Oficinas Corpo, Escuta e Escrita — Experimentos Textuais Formativos" compõe-se de muitas células. A primeira é manter a sensibilidade aguçada para perceber, na literatura, no cinema, nas artes plásticas, materiais que possam conversar com esses temas e, ao mesmo tempo, interessar a profissionais da saúde. As citações e obras aqui apresentadas foram recolhidas ao longo de uma década de curadoria, a princípio sem propósito específico, porém desde 2017 seguindo a direção de organizar e compartilhar o conhecimento com psicólogos, médicos, enfermeiros, terapeutas ocupacionais, assistentes sociais, farmacêuticos e todos os interessados em se aprofundar nos temas da comunicação na interface com a saúde, ou melhor, em experimentar-se nos temas da expressão corporal, oral e escrita nas práticas de cuidado, sejam elas quais forem. Importante salientar que se entende "cuidado como designação de uma atenção à saúde imediatamente interessada no sentido existencial da experiência do adoecimento, físico ou mental, e, por conseguinte, também das práticas de promoção, proteção ou recuperação da saúde", como cita Ricardo Ayres (2004) no famoso artigo em que narra um atendimento em que o prontuário foi fechado e os protocolos de consulta, abandonados em nome de estabelecer um encontro genuíno com a paciente, dona Violeta. Em vez de perguntar como passara desde a última consulta, o médico da unidade básica de saúde pediu: fala da sua vida, do que quiser contar. E a mulher sentiu-se vista — e cuidada — por outro ser humano e não apenas por um técnico.

≡ O importante para a humanização é justamente a permeabilidade do técnico ao não técnico, o diálogo entre essas dimensões interligadas. Foi esse diálogo que tornou possível caminhar para um plano de maior autenticidade e efetividade do encontro terapêutico; foi da possibilidade de fazer dialogar à normatividade morfofuncional das tecnociências médicas com uma normatividade de outra ordem, oriunda do mundo da vida (Habermas, 1988), que (res)significou a saúde, o serviço, o médico. (Ayres, 2004, p. 22)

Outro elemento importante na composição desses experimentos foi priorizar o encontro como força motriz da produção e do compartilhamento do conhecimento. Para isso, a pesquisadora colocou em ação estudos sobre os diferentes modos de criar presença e de abrir-se para a experiência essencialmente empírica e, portanto, inocente, de acordo com David Lapoujade (2017, p. 51):

≡ Os personagens das filosofias empiristas não visam mais às essências. Eles têm em comum certa inocência que faz com que sejam sem pressupostos, abertos a todas as potencialidades da experiência pura. Sua maneira de ser "puros" é, paradoxalmente, estarem abertos para a maior heterogeneidade possível, profundamente "impuros", nesse sentido, capazes de todas as metamorfoses, de viajar por várias perspectivas e circular através delas. O personagem empirista não é mais então aquele que, através de um esforço sobre si mesmo, tem acesso às substâncias ou às essências, pela simples e boa razão que, nesse novo plano, não há mais "si mesmo", não há mais substâncias ou essências.

Cultivando esse estado, foi possível navegar o acontecimento e recortar no ordinário as singularidades e os fatos extraordinários que se desprendiam da experiência grupal, formada por todas aquelas subjetividades, tensões, humores, desejos, necessidades, por todas aquelas vidas em curso, durante o curso. Quase todos os encontros começaram e terminaram com uma experiência de comunicação não verbal: em círculo, despertando o estar em pé como ato de presença, despertando o olhar em volta como prática de chegada, por exemplo, produzíamos sons que traduzissem como estávamos presentes naquele momento. E, voltados para fora da roda, poderíamos, mesmo em grupo, ter certa privacidade para bocejar, espreguiçar ou fazer qualquer outro ajuste que aumentasse o prazer de estar ali para seguir com a contemplação dos conteúdos e com a produção de leituras e escrita.

Quando as oficinas passaram a acontecer no Laboratório de Sensibilidades, uma sala de 30 metros quadrados com piso convidativo — liso e limpo —, as práticas corporais davam início aos encontros. Cerca de 40 minutos a uma hora eram dedicados a perceber como estava o próprio corpo. Mais do que isso, todos eram convidados a fazer contato com a própria anatomia e com as muitas camadas objetivas e subjetivas que estão em sintonia para produzir cada acontecimento da vida. Em algumas oficinas, enquanto os participantes faziam as práticas, a pesquisadora lia lentamente trechos do livro *Anatomia emocional* (Keleman, 1992a), transmitindo para os corpos não sentados os principais conceitos do processo formativo.

Para exemplificar, um recorte da nona oficina, realizada em 2 de dezembro de 2019. Experimentar descansar os olhos e fazer tudo lentamente são os focos dessa prática, que, além da transmissão do conteúdo formal, leva ao autocuidado e também torna a pesquisadora terapeuta, cuidando de cada um e de que o conjunto do grupo ganhe ferramenta para o cuidado.

Deitados no chão, luzes elétricas apagadas, na penumbra da luz natural filtrada pelos vidros escuros.

P — *Feche os olhos, com as pálpebras bem pesadas... Perceba que eles são estruturas líquidas, delicadas, que se acomodam nas órbitas, esses grandes orifícios do crânio. Esses órgãos fazem 80% da nossa conexão com o mundo, que tem sido prioritariamente visual.*

Vai abrindo e fechando as pálpebras, bem pesadas... e cada vez que abrir, muito lentamente, direcione os olhos para a direita... fecha e abre e direciona para a esquerda, bem lentamente... vai percebendo como vai alternando a direção dos olhos para as diagonais, para cima, para baixo... Estamos fazendo um alongamento dessa musculatura ocular, muito delicada, para todos os ângulos.

Vai percebendo como é deixar as pálpebras pesadas e não olhar só para a frente, percebendo a periferia do olhar. A próxima vez que deslocar o olhar... muito lentamente, os olhos vão levar o pescoço a virar para a direita.

Os olhos vão levar o pescoço para onde você está indo...

Isso é lento... é molinho... não é para doer... não é para alongar... é apenas para perceber essa parte líquida do rosto, que são os olhos...

Os olhos vão levando o pescoço para o outro lado, para a diagonal, para baixo, e vai experimentando... Como é mover o pescoço, feito de vértebras delicadas? Como é mover o pescoço a partir dos olhos?

Sem pressa, dá tempo... toma o seu tempo para isso.

Vai percebendo se tem algo no corpo que ainda possa ajustar...

Alguns minutos disso... volta à posição inicial e só recebe a sensação disso na cabeça, no peito, na barriga.

Fica com essa informação: você pode tomar o seu tempo. Não tem pressa.

Próximo passo: bem lentamente, como se o seu rosto fosse uma massinha de modelar, você vai fazer caretas... lentamente... em câmera lenta... fazendo caretas, deitado, contrair os músculos lentamente e daí vai alternando boca, maxilar, arregala os olhos, abre a boca, fecha a boca... bem devagar. Quando chegar no máximo da careta... para um pouquinho, faz foto da careta e vai desmanchando bem devagarzinho, como se fosse uma massinha mesmo. Não tenha medo de ser horrível nas caretas, ninguém está olhando...[11]

---

[11] Esse é um modo de exercitar o corpo. Essa prática vem da metodologia da vegetoterapia: "É oportuno, a *cada vez* que realizar um *acting* ocular, propor ao paciente que faça, por uns dois minutos, todas as 'caretas' que conseguir, ou seja, estimulando os músculos mímicos; isso permite uma distribuição da energia em todo o rosto e, em especial, liga energeticamente o primeiro nível [dos olhos] ao segundo [da boca]" (Navarro, 1996, p. 49).

Gostaria que vocês fizessem uma careta em que a boca ficasse aberta... não tem pressa... mas quando chegar lá vai abrir a boca o máximo que pode e fica lá... fica, fica, fica... fica... desmancha um grau... mais um grau... mais um grau... desmanchou... veja se vem algum bocejo, sensação, memória, imagem... boceja mesmo até o fim... espreguiçando profundamente o avesso do rosto... Vai aproveitar para se espreguiçar bem lentamente, torcendo o corpo de um lado para o outro... massageando as costas no chão... Se vierem sons, respirações... espreguiça... se tocar no outro não tem importância... é outro ser humano...

Deixe as solas dos pés no chão e, enquanto espreguiça a parte de cima, leva as duas pernas para um lado e as duas para o outro... bem gostoso...

Da próxima vez, a perna direita vai ficar e abrir até o máximo, no máximo, leva a outra perna. Espreguiçar mesmo a parte do centro do corpo... essa musculatura interna da coxa que é tão acionada na vida cotidiana dos controles.

Pés no chão...

[Som de bocejos.]

Pernas soltas e você vai captar esse contorno do seu corpo, depois de toda essa ativação... pernas esticadas... braços ao longo do corpo, sentindo as asas no chão. Pensando que a gente tem todo o tempo do mundo, que a gente tem articulações maravilhosas no corpo, que a gente tem essa estrutura de organismo construída de maneira muito inteligente, todos os sistemas interconectados... pensando que a gente tem todo o tempo do mundo... vai escolher um lado para virar... fica um pouquinho na conchinha... bem lentamente... tome o seu tempo... vou falar e cada um faz no seu ritmo... sem movimentos bruscos... tudo lento e molinho. Quem virou para a esquerda apoia o braço direito e levanta o tronco... e senta devagar... fica sentado... acostumando com essa outra altura... vamos para a aventura de ficarmos todos em pé.

Daqui onde nós chegamos... nós vamos sentar sobre os calcanhares, ficar um pouquinho com a testa no chão, braços ao longo do corpo, quem quiser... Se for desconfortável... ajusta.

Desse lugar aí, vai levar o peso para a frente e sair da conchinha para ficar com mãos e joelhos apoiados no chão... e fica de cócoras, com as solas dos pés no chão.

Em seguida, levantar o quadril na direção do teto e deixar os braços e cabeça soltos lá embaixo... não tem pressa. O joelho está um pouquinho dobrado... Faz um balancinho, vai desenrolando vértebra por vértebra, a cabeça é a última que chega... Depois que os ombros chegarem, a cabeça chega, queixo paralelo ao chão, olhos fechados. Pés na largura do quadril. Peso levemente para a frente do corpo de modo que a gravidade acione os músculos abdominais.

E bem lentamente abre os olhos, experimenta olhar mais longe, mais perto, nos lugares com mais e menos luz... com a atenção flutuante... você está percebendo o todo do ambiente e a gente vai andar um pouquinho... percebendo como fazemos o que fazemos... como andamos, como andamos. Tenta fazer com que os olhos se movam em várias direções, não olhar para o chão, abrindo o espaço entre o queixo e o peito... E vai achar um par... fica de frente para o par... e vai colocar a palma das mãos com a palma das mãos... o olhar está no centro da dupla, não no rosto do outro. Vai pressionando as mãos contra as mãos do outro percebendo a frente do seu corpo e a sua relação com o outro: você está querendo passar por cima do outro? O outro por cima de você?[12]

Percebe a frente e agora fecha os olhos... Veja quais sensações surgem... firmeza, calor, dificuldade, facilidade... divertido [um celular toca e é incluído], trilha sonora para momento sublime e vamos sustentar nossa presença.

O que dá para perceber de você quando entra em conexão com o outro?
O que dá para perceber do outro quando entra em conexão com você?
O que dá para perceber de você mesmo, da dupla, quando em uma conexão assim simples?

Bem lentamente, vai desmanchando essa conexão, vai recolhendo...
Volta a se deslocar lentamente pela sala... Percebe como você está, os pés no chão, as articulações, qual é o seu tamanho? E sentamos de novo para conversar.
Breve rodada, duas frases cada um... exercitando o poder de síntese sobre essa experiência. E vamos pensar em emitir a nossa voz como produtores de conhecimento, chegue a muitas pessoas essa história que vamos contar sobre essa experiência para os outros... Pode ser sentimento, memória, palavra... pode ser um pedaço do exercício...

---

12 Prática inspirada no grupo de exercícios ministrado por Regina Favre, no Laboratório do Processo Formativo, em São Paulo.

Juliana — *Estou ansiosa e ao mesmo tempo travada.*

P — *Em que parte sentiu mais?*

Juliana — *Na parte em que você diz assim: temos todo o tempo do mundo...* [risos]

P — *Mas aqui temos... não estou mentindo pra vocês. Aqui, podemos ter esse momento de lentificar, sem perder nada. Já estamos em aula, já está contando créditos, já está produzindo no meio da manhã de segunda-feira! Aqui é possível experimentar esse estado. Me lembrei do filósofo coreano Byung-Chul Han [2015], que em seu livro* Sociedade do cansaço *aponta como somos impelidos para a autonomia, fazendo de "nosso próprio corpo um campo de trabalhos forçados". Talvez essa experiência nos dê outro estado de presença, oposto à pressa e aos deveres a que estamos habituados.*

Rita — *Foi muito emocionante pra mim, foi uma memória cósmica, de reconexão.*

Zilmara — *Eu cheguei bem depois, mas foi muito prazeroso porque estou com torcicolo e achei que ia sentir dor, aí deitei... mas não senti nenhuma dor e fui percebendo que os exercícios estavam funcionando e isso pode ser feito quando eu tiver outras tensões... Eu ainda estava travada, mas agora não estou mais.*

P — *O nosso pescoço é muito sobrecarregado... Isso de puxar pelos olhos... e ir bem devagar é diferente de alongar o pescoço, de puxar... aqui é tudo líquido, a cabeça tem muito líquido... sem dúvida é uma ferramenta para você ir dando essa mobilidade sem tranco. Que bom que passou.*

Zilmara — *Fez um efeito.*

Viviane — *Para mim, a experiência não é tão inovadora... mas é muito diferente fazer isso em grupo. E percebi algo antigo em mim, que é o andar desequilibrado... Que interessante...*

P — *Essa hesitação...*

Viviane — *É hesitação, é meio dança... e voltou a partir dessa experiência... pós o tocar, o andar, voltou a ser cambaleante.*

Esmeralda — *Eu achei que ia sentir muita dor. Tenho labirintite... achei que não ia conseguir... depois, veio uma sensação bem melhor... relaxei a cabeça... e foi engraçado, percebi que no coletivo não me divido, tenho tempo de pensar só em mim. No coletivo, esqueço o resto.*

P — *O melhor modo de tratar labirintite é atividade física com gentileza. E você traz repetidamente essa necessidade. Essas coisas que o corpo vai comunicando pra gente é pra gente levar a sério. Para continuar com mais vitalidade a vida que vive. Não vai ser "uma nova mulher"... mas para integrar...*

Carolina — *Eu senti que a parte dos exercícios do corpo foi tranquilo... Mas senti hoje difícil a conexão, a presença, e tem a ver com o final de ano, a gente fica mais ansiosa. Pensando em todas as coisas que tem que fazer. A parte corporal estava fazendo, mas a cabeça estava por aí.*

Renato — *Cheguei mais tarde. Percebi hoje que a luz desperta nossa reflexão, nosso sentimento, principalmente nesse caminhar devagarzinho. Você acendeu a luz várias vezes. Você acorda para sair para ir para outro ambiente...*

P — *Isso. Mudamos de ambiente várias vezes hoje.*

Simão — *Vou ler um poema: "Entrei na sala. Somente quatro. No quarteto fiquei. Momento de se encontrar. Viajei. Me autoflagelei em altos pedaços e nas capilaridades do prazer, voltei pra mim mesmo. Ao abrir os olhos, vi as luzes... as luzes me apagaram. As dores foram. As dores voltaram, e que pecado meu tornozelo estar tão mal".*

Juçara — *Sou acelerada por natureza e estou precisando desacelerar. Fechar o olho... foi ótimo... Não está dando muito certo ficar tão acelerada... vai encaixando uma coisa na outra, profissional, acadêmico, pessoal e estou mais acelerada do que devia.*

P — *Percebeu na prática?*

Juçara — *Sim, e que preciso ter mais momentos assim.*

P — *A minha intenção ao falar que "você tem todo o tempo do mundo" é que esta voz fique como uma memória, o meio da corrida... Aqui a gente tem essa brecha de tempo. O vivo precisa lentificar para prosseguir. A ideia é ficar vivo. Fazer tudo que temos que fazer e ficar vivos. Fazer tudo sem ter AVC, burnout, gastrite...*

Marília — *Tive uma sensação de corpo inteiro. Como se não houvesse uma divisão entre o físico, a mente e o espírito. Como se tudo isso se acoplasse e estivesse aí.*

Carla — *Cheguei atrasada, correndo... tive que ir pro trabalho antes e achei que não ia conseguir vir. Subi as escadas correndo e senti tontura! Foi muito alívio pra mim chegar e as luzes estarem apagadas, todo mundo deita-*

do. O que mais me chamou a atenção foi fazer o contato sem necessariamente ter uma linguagem, sem as palavras. Isso trouxe uma sensação diferente, uma outra forma de experimentar.

P — Então, nos encontramos daqui a cinco minutos na sala 234 para a segunda parte do encontro de hoje. Vamos ver vários livros, de diversos autores e estilos, e aprender como se estrutura o projeto editorial de uma publicação e as etapas de produção do texto para que ele se torne livro.

Outra prática recorrente nas oficinas era ler em voz alta os próprios textos ou os textos de outros. Com ênfase no corpo como âncora da voz, que se projeta para comunicar algo que alcance todos os ouvidos.

Em síntese, o método das oficinas, além do conteúdo selecionado pelos temas relativos à saúde-doença e cuidado, inclui práticas de comunicação não verbal, práticas de percussão corporal que permitem produzir sons e batidas com o próprio corpo, práticas corporais formativas com leitura de conceitos, diálogos que analisam as práticas vividas e/ou os conteúdos abordados, produção de textos, produção de somagramas, produção de cadernos de notas, leitura em voz alta, tempo para contemplar o que foi produzido. Todas essas etapas vividas no calor do encontro, na temperatura do grupo, permitem, ao mesmo tempo, desenvolver o autoconhecimento e a expressão em várias linguagens. Ficou claro nas experiências vividas que falta cuidado ao profissional de saúde e a todas as sobrecargas depositadas em seu corpo disponível para o cuidado de outros. Faltam ao profissional de saúde mais do que o conhecimento técnico ou acadêmico, experiências de reconexão com o autocuidado, com uma sensibilidade menos proativa e mais singular, menos enrijecida e mais porosa. Saber-se dono de um corpo tão humano quanto o do paciente ou das pessoas que acompanha em seu trabalho torna-se também foco de atenção e de cuidado. Um profissional de saúde que desenvolve o autocuidado, que consegue regular a própria respiração, a própria excitação, que aprende a distribuir as próprias tensões, pode tornar-se mais presente, mais permeável à escuta das singularidades e à expressão profissional precisa e sensível. O profissional de saúde capaz de escutar a si mesmo tem mais condições de escutar o outro e também de perceber o ambiente em que se desenrolam as ações de cuidado.

Quem(ns), efeitos e melhores momentos

Uma das etapas conclusivas da produção de dados foi o preenchimento de um questionário em que os participantes poderiam se identificar detalhadamente e compartilhar os momentos mais marcantes e as aquisições feitas durante as oficinas. A maioria deles era de mulheres. Chegamos a ter 23 mulheres e três homens no grupo. Como acontece na maioria dos ambientes de cuidado, a presença feminina prepondera e, naturalmente, isso nem foi motivo de destaque ali. Porém, a participação de pessoas de várias idades, da faixa dos 20 aos 60 anos, garantiu uma diversidade de experiências muito interessante para o processo.

A análise do conjunto dos questionários respondidos evidencia o quanto as práticas corporais foram importantes e surpreendentes para a maioria dos participantes: perceber o pulso, a estrutura, os contornos, o ritmo das bolsas da cabeça, do peito e da barriga, desenhar na intimidade do caderno e na grande lousa. Muitos deles falam das oficinas como um momento de reconexão consigo mesmos, como uma pausa necessária para escapar da avalanche das demandas diárias. Fazer todo o rebatimento de sensações e imagens propostas pelo processo formativo com certeza acrescentou mais uma camada de percepção de cada um em si mesmo e também do estar em grupo.

A dinâmica de contar a história dos nomes foi citada por boa parte dos participantes como um momento marcante. O vídeo da biografia de Manuel Bandeira, que permitiu olhar o homem comum de uma nova perspectiva, e o documentário *O zero não é vazio*, com foco na personagem Tatiana em severo sofrimento psíquico, também os emocionaram, além de servirem como mote para diferenciar a escrita descritiva da escrita interpretativa.

Quase todos os participantes consideraram importante publicar os textos produzidos nas oficinas e manifestaram interesse em continuar com um novo ciclo de encontros para aprofundar a relação entre corpo, escuta e escrita.

Cada uma dessas pessoas foi um fragmento da experiência total. E, para que se possa ter ideia do conjunto, a seguir a pesquisadora reproduziu trechos que revelam a breve síntese que cada um dos participantes fez de sua vivência, bem como os localizam nos vários campos de atuação profissional, formando um grupo heterogêneo em que se mesclam conhecimentos, interesses, formas de contemplar o mundo e o nosso conjunto de experiências.

Leandro Augusto Ferreira, 41 anos, psicólogo, funcionário do Tribunal de Justiça do Estado de São Paulo, mestrando (agora mestre).

"Gostei de todas as oficinas, que me auxiliaram no meu trabalho de escrita. Uma das mais marcantes foi sobre o funcionamento do ouvido, a 'tecnologia corporal' da escuta. Outra discussão importante foi sobre a angústia.

Antes das oficinas pensava de um modo muito mais cartesiano, agora percebo a importância do corpo no meu trabalho. Autoconhecimento, aperfeiçoamento profissional, facilitação do mestrado, maior prontidão na produção de textos, maior disposição para escutar e elaborar demandas clínicas, ampliação das habilidades de expressão e da criatividade foram algumas das aquisições desta."

Renato Matos, 51 anos, enfermeiro pós-graduado, funcionário do Núcleo de Apoio à Saúde da Família (Nasf) e coordenador do Programa de Controle de Tabagismo da Prefeitura Municipal de Guarujá.

"A experiência das oficinas foi enriquecedora. Foram marcantes as práticas de relaxamento e os deslocamentos com o corpo. No penúltimo encontro, a exposição de livros e dos processos diversificados de produção literária foram marcantes. Ótimos livros! Gostaria de ler todos. Descobri outros mecanismos para o desenvolvimento da escrita, facilitadores para a construção e produção de escrita e escuta qualificadas. Autoconhecimento, aperfeiçoamento profissional, facilitação do mestrado, facilitação das relações interprofissionais e das relações em geral, maior prontidão na produção de textos, maior disposição para escutar e elaborar demandas clínicas, ampliação das habilidades de expressão e da criatividade foram algumas das aquisições deste período. Gostaria de ter a continuidade das oficinas, considerando a importância das atividades ofertadas."

Rita C. F. Lourenço, 59 anos, terapeuta ocupacional, funcionária da Secretaria de Saúde da Prefeitura Municipal de Osasco, aluna de mestrado profissional.

"Foi marcante a prática de 'arrastar-se, rastejar' e passar por todos os movimentos até ficar em pé, relacionando isso com a evolução da espécie. Isso foi muito gratificante! O vídeo do aparelho auditivo, com toda a precisão técnica dessa anatomia, foi extremamente emocionante e envolvente. As práticas corporais nos ajudam a 'lembrar' que somos unos. Os exercícios de escrita e a possiblidade de escrita livre foram muito importantes." Rita assinalou todos os itens de aproveitamento: autoconhecimento, aperfeiçoamento profissional, facilitação do mestrado, facilitação das relações interprofissionais, facilitação das relações em geral, maior prontidão na produção de textos, maior disposição para escutar e elaborar demandas clínicas, ampliação das habilidades de expressão e da criatividade.

Marília Guarita, 37 anos, jornalista e profissional de educação física, funcionária da área de Saúde e Sociedade do Instituto Procomum, em Santos, mestranda.

"Todos os momentos/aulas/encontros foram para mim bastante instrumentais, me colocando em contato com técnicas para adentrar percepções para além da racional. As práticas experimentando a inspiração e a expiração e o exercício de abrir e fechar as mãos para desbloquear a criatividade foram marcantes para mim. O texto da Conceição Evaristo foi o meu favorito, as formas de trabalhar com as lembranças. Também gostei muito do filme do Manuel Bandeira e depois do exercício de escrita sobre o homem comum. Ficou claro como a escrita melhora quando se está mais atenta, mais observadora, adensando mais. E diferenciar a escrita descritiva da escrita interpretativa me ajudou a dissolver bloqueios de escrita. Para mim, as oficinas contribuíram no autoconhecimento, na maior disposição para escutar e elaborar as demandas e para ampliar a criatividade."

Viviane Gorgatti, 56 anos, psicóloga com mestrado profissional, ex-gestora do Instituto Camará Calunga, em São Vicente.

"Nas oficinas, trabalhamos com respeito ao corpo num ambiente de confiança. O trabalho das ventosas das mãos e pés foi especialmente interessante, pela percepção do próprio ritmo e pulso. Uma experiência marcante foi estar com as luzes apagadas e poder abrir e fechar os olhos lentamente.

Durante as práticas de escuta e escrita me autorizei a arriscar, me percebi mais criativa. Aumentou a disposição para escutar e elaborar as demandas clínicas, ampliou a habilidade de expressão."

Juliana Camargo, 44 anos, professora de educação física, funcionária da Prefeitura Municipal de Santos, mestranda.

"As oficinas me proporcionaram momentos de relaxar e parar, acalmar, especialmente os exercícios de respiração me ajudaram a centralizar. As experiências propostas foram muito criativas e fiquei surpresa com o efeito sonoro incrível provocado pelas falas simultâneas de todo o grupo. Os conteúdos foram inspiradores e os exercícios diferentes levaram o pensar para caminhos novos. As práticas corporais proporcionaram o efeito de me abrir para escrever. E abordar os bloqueios de escrita me trouxe a certeza de que posso escrever sem me preocupar 'tanto' com o que vai ser entendido. Vou continuar adotando um caderno de escrita livre. A dinâmica da história dos nomes foi marcante e ter aquela emoção com minha irmã foi muito bonito."

Carolina Linhares Nagao, 26 anos, psicóloga, funcionária do Centro de Referência Especializado da Assistência Social da Prefeitura Municipal de Santos, mestranda.

"As experiências corporais foram tranquilas e proporcionaram a autopercepção do corpo. Considero que as oficinas me ajudaram a me compreender melhor e a ouvir principalmente meu próprio corpo. Não considero que tenha bloqueio de escrita, mas sim de criação. Nesse sentido, as oficinas ajudaram a me motivar a buscar isso, buscar a escrita no âmbito da criação. Ter participado ampliou meu autoconhecimento e minha criatividade."

Eliana Rocha de Lima, 64 anos, psicóloga aposentada, atuou por três décadas na área de saúde mental em Santos.

"As experiências corporais foram muito boas. O mais marcante vou chamar de exercício de contato com o corpo: sinta seus pés no chão, as pernas sobre os pés, a bacia sobre as pernas, as costelas, os ombros sobre as costelas, o pescoço sobre os ombros, a cabeça sobre o pescoço... Adorei fazer o reconhecimento de cada parte do corpo e de seu esquema conectado. Também gostei de

vivenciar experiências da organização do corpo em bolsas e tubos e perceber como a energia vital circula. Quanto ao bloqueio de escrita, o trabalho que fizemos fez muita diferença e tenho procurado respirar melhor e sentir meus pés no chão ao escrever, como foi sugerido nas oficinas. Autoconhecimento, maior prontidão na produção de textos, maior disposição para escutar e elaborar demandas clínicas, ampliação de habilidades de expressão e expansão da criatividade foram ganhos da participação nas oficinas."

Zilmara de Souza Dantas, 43 anos, funcionária da Unifesp/Campus Baixada Santista.

"Nas oficinas vivi várias experiências inovadoras para mim, em especial os exercícios de respiração. Potencializaram sentidos e habilidades negligenciados no dia a dia. Muitas atividades de grupo propunham acionar os sentidos de forma ampla, como a experiência com as medusas, com o vídeo do fundo do mar. Também gostei da exposição dos livros, mostrando como eram compostos. A dinâmica dos nomes possibilitou que a gente resgatasse o tempo histórico de nossos pais. Quanto ao bloqueio de escrita, acredito que estou respirando com mais consciência e isso me tira do pânico e me deixa mais paciente, o que ajuda a escrever." Autoconhecimento, aperfeiçoamento profissional, facilitação do mestrado, das relações interprofissionais e gerais, maior prontidão para produção de textos, ampliação da expressão e da criatividade foram itens assinalados como acréscimos proporcionados pelas oficinas.

Audra Liz Abad, 39 anos, assistente social, funcionária do Centro de Atenção Psicossocial Álcool e Drogas da Prefeitura Municipal de Santos, mestranda.

"O que mais me marcou foi desenhar o somagrama. Após a prática corporal, fiz o desenho em que aparecia meio torta e quadrada. Era bem como me sentia naquele dia. Me surpreendeu ter desenhado 'não intencionalmente' aquilo que sentia. Me redescobri ao me deparar com meus desenhos. O vídeo da Tatiana me marcou muito também, pois trabalho com saúde mental e pude enxergá-la com outros olhos: os olhos da fantasia e do delírio, típicos dos pacientes da saúde metal. Um olhar muito belo. As práticas sobre os bloqueios de

escrita foram importantes, senti que comecei a prestar mais atenção às mensagens que quero passar e se estou deixando isso claro, sem ser repetitiva. No geral, as oficinas me transmitiram autoconhecimento e paz."

Carla Cristina Dias, 28 anos, funcionária do Departamento Administrativo da Prefeitura Municipal de Santos, mestranda.

"Vincular as experiências corporais à escrita foi muito marcante para mim. Assim como as práticas de contrair e expandir e também de ouvir longe e ouvir perto... essas nuances foram enriquecedoras. Percebi que 'a confusão está aqui. Sou eu. Na escrita tudo se revela' [citando frase que ela mesma produziu]. *O vídeo da Tatiana me fez pensar nas curvas do corpo, nas modulações e nas diferentes percepções que um corpo pode suscitar. Trabalhar os bloqueios de escrita descobrindo como faço o que faço e desenhar os somagramas foram marcantes para mim."* A participante assinalou todos os itens de conquistas proporcionadas pelas oficinas.

Esmeralda Cruz, 38 anos, enfermeira, funcionária da área de Saúde e Segurança do Trabalho da Prefeitura Municipal de Santos, mestranda (mestrado profissional concluído em 2020).

"Nas oficinas, tive um encontro com o meu corpo, as práticas corporais me ajudaram a ter foco e tranquilidade. Em relação ao bloqueio de escrita, percebi que o recuo do julgamento sobre o escrever abre maior possibilidade de criação. Gostei do diálogo que escrevi neste encontro, o diálogo entre o Tédio e o Ânimo." Autoconhecimento, aperfeiçoamento profissional, facilitação de relações, maior disponibilidade para escutar e elaborar demandas e ampliação da criatividade foram assinalados como ganhos pela participante.

Juçara Barga, 37 anos, farmacêutica, coordenadora da Assistência Farmacêutica da Prefeitura Municipal de Guarujá, mestranda.

"As experiências corporais foram interessantes e diferentes. A mais marcante foi desenhar na lousa o corpo como eu sentia. Percebi que a vida não permite entender que é preciso melhorar a atividade física. Foi fascinante compreender como funciona o aparelho auditivo. Foi sensacional escutar a

história dos nomes das pessoas e ter acesso àquelas narrativas que as pessoas fizeram sobre suas vidas. Para mim, as oficinas foram um ponto de aperfeiçoamento profissional e das relações, uma ampliação para a escuta e para elaborar as demandas clínicas e ampliou a criatividade."

João Renato Simão Nunes, 44 anos, estivador, funcionário do Porto de Santos, mestrando.

"Me marcou o vídeo sobre o funcionamento do ouvido e também o exercício de andar às cegas, fiquei muito ansioso com o que poderia acontecer. Nas oficinas, pude escutar mais do que falo. Em relação aos bloqueios de escrita, fiquei mais confiante e assumi a obrigação de me fazer entender. As oficinas me trouxeram autoconhecimento, facilitação das relações em geral, maior disposição para escutar e elaborar as demandas. Dez, sem palavras."

Gabriela Muler, 28 anos, terapeuta ocupacional, funcionária do Núcleo de Apoio à Saúde da Família (Nasf) da Prefeitura Municipal de Santos, mestranda.

"As experiências corporais me permitiram estar inteira no encontro. Deixar o tempo e o espaço do grupo para me perceber ampliou meu olhar e minha forma de ser. Ao me sentir, posso me respeitar mais e respeitar o outro. O encontro em que contei a história do meu nome foi o que mais me marcou. Abriu feridas que nem lembrava que tinha. Nas outras oficinas eu precisei me recolher, falar menos, mas me ajudaram a cuidar das feridas. O vídeo da Tatiana e o exercitar descrever — sem diminuir, aumentar, destruir ou florear o outro — foi muito interessante. Estou tentando levar isso para a vida. Assim é possível dar visibilidade às histórias dos outros e dos sujeitos com quem trabalho na pesquisa." Além de assinalar todos os itens referentes ao que as oficinas acrescentaram, Gabriela faz um adendo: "Mudei a minha forma de estar no mundo".

Para vencer a morte e fluxos finais

"Não escrevo para dar à minha existência uma solidez de monumento. Tento antes reabsorver minha própria existência na distância que a separa da morte e, provavelmente, por isso mesmo, a guia para a morte" (Foucault,

Questionário de avaliação
Oficinas Corpo, Escuta e Escrita –
Experimentos Textuais Formativos

Estamos chegando ao fim do ciclo de 10 encontro das Oficinas de Corpo, Escuta e Escrita – Experimentos Textuais Formativos, que constituiu a pesquisa de campo para o Mestrado de Escuta e Escrita para Profissionais de Saúde, na Interface da Saúde de da Comunicação.

Neste segundo semestre de 2019, ao longo dos encontros quinzenais, vivemos juntos vários momentos de emoção, de descoberta, de ampliação do conhecimento e do autoconhecimento. Muito compartilhamos em várias conversas. Agora, peço a gentileza de responderem a esse questionário de avaliação, para aprimoramento das oficinas e também como parte da coleta de dados para a pesquisa.

O propósito é refinar a pesquisa em alguns pontos que considero importantes para a estruturação da dissertação, para a construção de metodologias de trabalho com escuta e escrita, bem como o desdobramento dessas práticas.

Com imensa gratidão ao grupo e a confiança no trabalho, seguimos!

Liliane Oraggio

Nome *Suzane*   Idade *37*
Endereço postal (para envio dos cadernos) *Avenida Afonso Pena 206/61*
Área de Atuação *Farmacêutica*
Serviço a que está vinculado no momento *Coordenação de Assistência Farmacêutica*
Grau acadêmico *Pós-graduação latu sensu*

(para preenchimento do pesquisador)
% frequência:
Textos para antologia:

1. Como avalia as experiências corporais durante as Oficinas? Há alguma experiência que tenha sido mais marcante? Qual? Por que?

As experiências corporais foram interessantes e diferentes. A mais marcante foi de desenhar na lousa os membros que eu mais sentia. Porque a vida não te permite entender que você deve melhorar a atividade física.

2. Como avalia as experiências de comunicação não verbal que foram propostas durante as oficinas (escuta, ritmos, musicalidade)? Há alguma experiência mais marcante? Qual? Por que?

Escutar a respeito dos nomes das pessoas foi emocional.

3. Como avalia a parte teórica e dos materiais (vídeos, biografias, poema, leituras) apresentados como disparadores das práticas de Escuta e Escrita? Algum marcou mais? Qual? Por que?

Eu acredito que deveríamos ter um preparo antecipado em todas as oficinas, com material prévio. O que mais me marcou foi o vídeo de audição, pois compreender o mecanismo de ouvir no detalhe é fascinante.

O avesso da tapeçaria

155

Questionário de avaliação
Oficinas Corpo, Escuta e Escrita –
Experimentos Textuais Formativos

Estamos chegando ao fim do ciclo de 10 encontro das Oficinas de Corpo, Escuta e Escrita – Experimentos Textuais Formativos, que constituiu a pesquisa de campo para o Mestrado de Escuta e Escrita para Profissionais de Saúde, na Interface da Saúde de da Comunicação.

Neste segundo semestre de 2019, ao longo dos encontros quinzenais, vivemos juntos vários momentos de emoção, de descoberta, de ampliação do conhecimento e do autoconhecimento. Muito compartilhamos em várias conversas. Agora, peço a gentileza de responderem a esse questionário de avaliação, para aprimoramento das oficinas e também como parte da coleta de dados para a pesquisa.

O propósito é refinar a pesquisa em alguns pontos que considero importantes para a estruturação da dissertação, para a construção de metodologias de trabalho com escuta e escrita, bem como o desdobramento dessas práticas.

Com imensa gratidão ao grupo e a confiança no trabalho, seguimos!

Liliane Oraggio

Nome RITA C.F. LOURENÇO Idade 59
Endereço postal (para envio dos cadernos)
Área de Atuação TERAPEUTA OCUPACIONAL
Serviço a que está vinculado no momento _Pref. Mun. Osasco - Sec. Saúde
Grau acadêmico _ Mestrado Profissional _ em curso.

(para preenchimento do pesquisador)
% frequência:
Textos para antologia:

1. Como avalia as experiências corporais durante as Oficinas? Há alguma experiência que tenha sido mais marcante? Qual? Por que?

Retomar o "arrastar-se, rastejar", passar pela evolução até ficar em pé. Gratificante!

2. Como avalia as experiências de comunicação não verbal que foram propostas durante as oficinas (escuta, ritmos, musicalidade)? Há alguma experiência mais marcante? Qual? Por que?

Todas foram muito ricas. Difícil escolher.

3. Como avalia a parte teórica e dos materiais (vídeos, biografias, poema, leituras) apresentados como disparadores das práticas de Escuta e Escrita? Algum marcou mais? Qual? Por que?

O vídeo do funcionamento do aparelho auditivo. com toda precisão técnica foi extremamente emocionante e envolvente.

4. Como relaciona as práticas corporais na sua produção escrita e na ampliação da capacidade de escuta (seja na academia ou em seu trabalho)?
Ao aprender a me sentir, porto me respeitar mais e respeitar o outro. Além da escuta permitir dar visibilidade às histórias dos sujeitos com quem trabalho na pesquisa.

5. Quanto aos bloqueios de escrita, você sentiu alguma diferença depois das práticas que fizemos? O quê?
Sim, me sinto mais solta para descrever o outro com cuidado que merecem, a mim mesma.

6. Ter participado do processo das Oficinas Corpo, Escuta e Escrita acrescentou algo a sua vida pessoal e/ou profissional, em termos de:

    Autoconhecimento (X)
    Aperfeiçoamento profissional (X)
    Facilitação do Mestrado (X)
    Facilitação das relações interprofissionais (X)
    Facilitação das relações em geral (X)
    Maior prontidão para a produção de textos (X)
    Maior disposição para escutar e elaborar demandas clínicas (X)
    Ampliação das habilidades de expressão (X)
    Ampliação da criatividade (X)
me dei perante a minha forma de estar no mundo

7. Algum dos encontros foi mais marcante para você? Qual?
O que contamos a história dos nomes.

8. Você considera importante publicar os textos que produziu durante as Oficinas?

    Sim (X)
    Não ( )

9. Você gostaria de prosseguir aprofundando outros temas relativos ao Corpo, Escuta e Escrita? Quais?
Sim

10. De 0 a 10, qual a nota para o nosso ciclo de encontros?
10

O questionário faz o fechamento da camada objetiva da experiência.

2016, p. 73). É nessa tensão ainda mais intensa que se faz o encerramento deste processo de produção e partilha do conhecimento.

Fico pensando, depois de todos esses efeitos produzidos no processo de estudo e embrulhado pela pandemia e em tantas turbulências, que o objetivo deste trabalho é expressar — com todas as letras — que nós, profissionais de saúde, envolvidos com a pesquisa, precisamos conhecer nossa própria anatomia, ampliar nossa capacidade de escutar a nós mesmos, ao outro, ao grupo, ao contexto social, e capturar o vivido em texto, para que as experiências continuem fluindo como seiva, como seiva de vida.

E não seria esse justamente um modo de manter-se totalmente vivo e consciente de que somos parte da resistência à necropolítica, às forças destrutivas de toda ordem?

E não seria o desenvolvimento das habilidades de expressão, das capacidades de deixar por escrito o que vimos, ouvimos, articulamos que nos garante (ah, como é possível usar esse verbo nesses tempos?) tecer o amanhã? Pois a vida do que está escrito na pedra, nos papiros, nas cavernas, nos cadernos, nos livros ou nas páginas iluminadas do computador vai durar muito mais do que nossos corpos.

> Escrever é um caso de devir, um devir sempre inacabado, sempre em via de fazer-se, e que extravasa qualquer matéria vivível ou vivida. É um processo, ou seja, uma passagem de Vida que atravessa o vivível e o vivido. A escrita é inseparável do devir: ao escrever, estamos num devir-mulher, num devir-animal ou vegetal, num devir-molécula, até num devir-imperceptível. (Deleuze, 2011, p. 11)

Imagino que dedicar tempo e energia a produzir escrituras — sejam prontuários, relatórios, dissertações, literatura — nessa conturbada contemporaneidade, com todos os micro e macroatravessamentos, micro e macroimpactos sentidos em nossos corpos a cada dia, nos ajuda a organizar e digerir o presente. Ler as obras clássicas e as crônicas de Facebook e Instagram, ler a anamnese de alguém que não está a sua frente, o prontuário que vai somando informações das vidas sob cuidado, estabelece uma linha do tempo e nos dá uma dimensão daquilo com que é possível lidar. Novamente,

O belo perigo nos conta por que é tão importante nos relacionarmos com páginas, "os retangulozinhos brancos escritos ou lidos":

≡ Escrever é bem diferente de falar. Escreve-se também para não se ter mais rosto, para se fugir de si mesmo sob sua própria escrita. Escreve-se porque a vida que se tem ao redor, ao lado, fora, longe da folha de papel, essa vida não é divertida, mas tediosa e cheia de problemas, que está exposta aos outros, se desmancha nesse retangulozinho de papel que temos debaixo dos olhos e de que somos mestres. Escrever, no fundo, é tentar fazer fluir, pelos canais misteriosos da pena e da escrita, toda a substância, não apenas da existência, mas do corpo, nesses traços minúsculos que depositamos no papel. Não ser mais, em matéria de vida, que uma garatuja ao mesmo tempo morta e tagarela que depositamos sobre a folha branca, é com isso que se sonha quando se escreve. Mas a essa reabsorção buliçosa no buliço das letras nunca chegamos. A vida sempre retoma fora do papel, sempre prolifera, continua, nunca chega a se fixar nesse retangulozinho, nunca o pesado volume do corpo chega a se desdobrar na superfície do papel. (Foucault, 2016, p. 66)

Para finalizar, vou em busca da origem da palavra escrita. E quanto isso tem a ver com o corpo e com a necessidade de transpor a barreira do tempo? Em *O pensamento sentado*, o professor Norval Baitello Junior (2012, p. 40) faz a síntese que encerrou a pesquisa:

≡ Foi no chão que aprendemos a escrever, riscando, rasgando o solo com um objeto pontiagudo qualquer. Deixamos rastros intencionais nesses cortes da terra do chão, mais tarde retiramos a argila do solo e inscrevemos nela os sinais que registraram as posses, as trocas, as dívidas e os haveres. Sem o assentamento não era possível a acumulação de posses. E para não perder a conta delas e suas necessárias transações fez-se necessária a escrita. Os materiais dos suportes de escritas vinham sempre da terra e do chão. Vinham do plano, o mesmo plano que recebeu os primeiros desenhos, precursores da escrita, depois os pictogramas, os ideogramas e a escrita alfabética. O corte na carne da terra foi a primeira marca da escrita. E é por isso que as palavras que a designam procedem do verbo "cortar" — no indo-europeu, "*sker*". Que deu em latim "*scribere*", mas também "carne" (pedaço cortado de carne), entre outras palavras. Mas ainda havia outra palavra do indo-europeu "*ghrebh*" ou "*gherbh*" que deu origem ao grego "*graphein*" (gravar) ou ao germânico "*graben*" (cavar).

Ambas, cortar e cavar são ações que se referem à terra, ao chão e ao plano. E ambas atividades cortantes ou perfurantes. Talvez tenhamos uma memória profunda da escrita como cicatriz, como arranhão ou como escarificação, como corte sobre a pele, como resquício de marca indelével de uma ferida. [...] Talvez antes mesmo de fazê-la sobre materiais duros e perenes como a pedra, tenhamos praticado a escrita sobre nosso próprio corpo. Ou a vida e seus imprevistos se incumbiram de deixar escritas como cicatrizes, no corpo e na alma. Cicatrizes são para sempre. Escritas também! Sua ambição é vencer o tempo. E, mesmo quando não são feitas sobre materiais perenes, sua ambição é vencer a morte.

Texto vivo gera texto vivo

Assim como acontece no corpo humano, o corpo do texto vai bombeando o pulso vital e conferindo vitalidade à captação do acontecido e, consequentemente, ao próprio tecido da experiência, que pode se tornar subjetividade e saber coletivo. Digamos, então, que o avesso deste texto tem essa estrutura neural, muscular e visceral, que, emoldurada pelos anseios da pesquisa, é urdida fio a fio, palavra a palavra, resultando na produção de uma síntese que agrade ao leitor e, mais ainda, que mobilize e envolva os corpos no desejo de seguir escrevendo sobre o cuidado e suas reverberações essenciais para o prosseguimento da vida.

Em um sábado de inverno, li uma crônica do escritor Julián Fuks (2021), romancista premiado. Diz ele:

≡ Se eu fosse sincero comigo mesmo, não escreveria este texto. Não me fecharia em palavras em mais uma sexta-feira pandêmica, para alinhavar uns parágrafos a mais sobre as lógicas tortuosas que nos regem e os nossos disparates corriqueiros. Sobretudo não o faria, como faço agora, para criticar este rigor de produtividade que nos consome, que nos obriga a sempre fazer mais, criar mais, dizer mais. Se eu fosse sincero comigo mesmo, pediria desculpas ao meu editor, acenaria brevemente a algum possível leitor e me retiraria a um silêncio feito de paz e sossego — ou ainda à ruidosa companhia das minhas filhas, que é o mais próximo que tenho chegado do improdutivo silêncio [...].

E se eu fosse sincera? Terminaria hoje de escrever a dissertação e me contentaria com as descobertas feitas nos últimos dois anos. Porém, a sinceridade também continuou quando, na sequência, vieram do trabalho um *e-book*, um livro-objeto e o artigo "Atos de criação como processo vivo em pesquisa acadêmica", em coautoria com Flavia Liberman e Sabrina Ferigato (2022). E agora este livro, que compartilha a metodologia das oficinas e descreve a experiência da pesquisa-intervenção, fortemente embasada pela voz da mestra Virgínia Kastrup. Sendo bem sincera, dou um nó no vício de achar que poderia ter feito mais e melhor. É o possível e está escrito, e tomara que toque outros, que seja rastro a percorrer amanhã e depois de amanhã. Será?

6

Para inspirar a criação de oficinas

A construção de um roteiro para as "Oficinas Corpo, Escuta e Escrita — Experimentos Textuais Formativos" foi feita ao longo de muito tempo. Começou espontaneamente, com uma coleção de vídeos, textos, poemas que falavam sobre a relação com a corporeidade, com o adoecimento, com as patologias. Com a avidez que a pesquisa provoca, com o prazer de articular ideias e autores ao tema estudado, foi aberta uma pasta para juntar tudo isso no reservatório do computador.

Então, iniciando as flechas provocadoras para que cada um entre no processo de criação do seu material, o desafio é aguçar os sentidos, ampliar as antenas e recortar todo o material relacionado à escrita.

Quando essa "coleção" estiver com uma determinada consistência, é certo que já estará em curso o processo criativo de como esse conhecimento será incorporado ou transmitido. Então, é o momento de captar e registrar esse processo criativo, isto é, tomar nota de questões disparadoras, de conflitos/obstáculos (por exemplo: como vou entrar no papel de professor? A resposta veio na identificação do vestido-uniforme para as aulas). Também vale registar as fontes de informação que começam a "falar" com a pesquisa. Para manter esse arquivo organizado, legível (sempre!) e de fácil acesso, a solução foi fácil: usar uma ferramenta de rede social que permite abrir um grupo, com acesso restrito ao pesquisador ou àqueles que ele convide para compartilhar suas postagens. Na nuvem, fica depositado todo o material: notas, *links* que têm a ver com o assunto, textos, fotos, conversas gravadas em áudio ou vídeo. Assim, vai se construindo um diário de campo virtual, fiel ao processo que está se desenvolvendo, tanto no momento da criação quanto no momento da produção das oficinas e também *a posteriori*, já que é possível ter ali um registro fiel e dinâmico dos acontecimentos. Para o método cartográfico, o que importa é o processo e captar quais são as linhas de força contidas nele, as pistas que abrem análises em vez de fechar interpretações. Enfim, um arquivo completo e ágil, ao mesmo tempo suporte e referência do que está sendo desenvolvido.[13]

Gravar em áudio e fotografar é um modo de cartografar as oficinas. É muito rica a experiência de ouvir e transcrever as conversas. É possível captar novos elementos e a qualidade das trocas no campo aberto para as interações afetivas.

Preparo. Achei o vestido com estampa de mapa náutico e marquei com alfinete vermelho o ponto de partida. Santos. As oficinas foram sendo gestadas ao longo dos meses. Dez encontros em que escolho usar esse uniforme. Sempre os mesmos mapas náuticos como ponto de partida para os experimentos de escrita.

O modo de envolver a bomba pulsátil é uma forma de marcar a presença no mundo.

[conceito bomba pulsátil Keleman / tubos dentro de tubos / cérebro pulsa, peito pulsa, vísceras pulsam]

Grupo grande. 28 pessoas comporão o círculo para a coleta de dados da pesquisa de mestrado. 28 pares de olhos. 28 cérebros. 28 seres e seus milhares de camadas para beber e babar esses encontros.

[conceito ser parte do acontecimento]

Há um mapa, mas o mapa não é a viagem e muito menos guarda as paisagens.

Cadernos de capas azuis e vermelhas serão oferecidos para que cada um faça seu diário de bordo. O registro da experiência em letra cursiva e desenhos a mão livre pretende ressaltar que os conteúdos mais afetivos serão recolhidos

---

[13] Veja o vídeo *Abecedário de Virgínia Kastrup — Cartografias da invenção*. Disponível em: https://www.youtube.com/watch?v=mTWns8ACYDU. Acesso em: 6 nov. 2023.

assim, dessa maneira orgânica. Além dos textos produzidos a cada encontro, que podem ocupar outros lugares e formas.

Penso que os cadernos podem ser um elemento cartográfico importante para transmitir o teor da jornada.

Para o ritual do encontro

Cada encontro é composto de várias etapas, intencionalmente pensadas para criar um campo de confiança e compartilhamento entre os participantes. Depois de chegarem, é proposto que entrem na atividade, com o estímulo de aspectos não verbais — isso mesmo, uma oficina de palavra, escrita e expressão começa pelo não verbal para que essas ações ganhem relevo. É feito silenciosamente o convite para que deixem as cadeiras e formem um círculo. Propõe-se então um jogo — trocar olhares, perceber-se em pé — e, em seguida, transmite-se um som qualquer para o grupo e direcionado a outro participante, acompanhado de um gesto de disparar uma flecha. Podem ser feitas várias rodadas, com duração de uns 15 minutos, incluindo todas as excitações, inclusive a dificuldade de não falar!

Em seguida, todos voltam aos seus lugares e começa o processo norteado pela intenção do dia, alternando práticas corporais, diálogos, compartilhamento teórico (no caso, os conceitos centrais da anatomia emocional, de Stanley Keleman), exercícios para estimular a prontidão na escrita, após o qual se segue o encerramento.

Durante as práticas, é interessante o efeito de alterar a iluminação da sala, diminuindo a luz nas atividades mais introspectivas ou de relaxamento e aumentando-a nos momentos de interação entre os participantes.

Alguns exercícios propostos são realizados no chão — sempre muito limpo, para pés descalços. Porém, se o local da oficina for uma sala de aula convencional, o importante é colocar as carteiras em círculo e adaptar os exercícios para serem feitos em pé, alternando com a postura sentada.

O encerramento de cada encontro merece atenção especial: sempre formar um círculo com todos de olhos fechados e convidá-los a lembrar como estavam se sentindo quando chegaram e como estão se sentindo agora, no final da experiência. Depois de instantes, de olhos abertos, os participantes contemplam uns aos outros e cada um é convidado a dizer uma palavra marcante relacionada à vivência. Primeiro um por vez e a seguir todos falando a própria palavra ao mesmo tempo. É gostoso ir repetindo as palavras até que todos produzam uma música comum. Vale também caminhar enquanto esse som comum vai embalando a roda. A própria prática terá seu tempo próprio e o silêncio virá. Então, em círculo, é hora de marcar o encerramento da experiência: o facilitador faz menção de bater uma palma e, com o olhar, convida todos a baterem uma palma juntos, fazendo um som vibrante e que continua reverberando, contendo o mar de palavras produzido no encontro. O círculo se desfaz. Há vários modos de variar essa prática a cada encontro, porém não há problema em repeti-la.

Intenção e dinâmicas

Qual é a intenção norteadora dos encontros? Ter essa resposta, elaborada antes do início, traz consistência ao projeto como um todo. No caso, a intenção norteadora das "Oficinas Corpo, Escuta e Escrita — Experimentos Textuais Formativos" é conectar práticas corporais com o exercício da escuta, produzindo uma escrita singular, descritiva, processual que envolva o leitor, seja ela realizada no contexto profissional ou literário.

Outro ponto importante é deixar clara a intenção de cada um dos encontros da série de oficinas. E, já nos primeiros, reservar um tempo para questionar os participantes sobre suas expectativas em relação à jornada. É importante ter isso bem anotado, pois talvez surjam elementos não contemplados na preparação do ciclo de encontros. Todos os momentos de diálogo — sejam eles em duplas, com o grupo todo ou com o facilitador — são muito ricos e contêm pistas que podem provocar novas articulações. A escuta a essas conversas é fundamental para retraçar o plano de aula, conforme o desdobrar do processo. Mais importante do que seguir um roteiro físico é navegar no acontecimento vivo, horizontal e reverberante em cada indivíduo, na turma, no campo.

A seguir, é apresentada uma sugestão de roteiros para cada etapa de cada uma das aulas. Menos para ser seguidos à risca. Mais para inspirar e instigar a compor os elementos para criar múltiplas sequências, múltiplos efeitos, que serão únicos para cada turma envolvida no processo. Importante lembrar que não se trata de provocar respostas e colher o que era previamente esperado, e sim de produzir um campo de produção de acontecimentos novos, vivamente encarnados.

Primeiro encontro

Intenção — Produzir um campo de confiança e um ritmo propício para as trocas dessa ocasião (nova para todos) e para as outras nove aulas que virão.

Abertura — Prática não verbal, percepção de como está o corpo, espreguiçamentos, ritmos vocais ou corporais.

Dinâmica — Levando em consideração que nas oficinas descritas neste livro os participantes já se conheciam de outras atividades universitárias, profissionais e sociais, o desafio foi criar uma forma de apresentação que prendesse a atenção de todos e, ao mesmo tempo, reforçasse os elos afetivos entre eles e também com os lugares de pertencimento (escola, trabalho, bairro, referências de memória etc.).

A proposta foi lançada: todos ficariam à vontade ao serem apresentados por dois ou três colegas, em vez de cada um recitar o próprio currículo?

Com a resposta afirmativa, começa o jogo que propicia falar do outro e, ao mesmo tempo, falar de si, já marcando diferenças e características comuns. Isso facilita a interação. Acompanhe o diálogo e o cruzamento de informações, incluindo a fala da facilitadora, que também pode ir se apresentando durante a conversa.

Essa proposta é simples, mas contém riscos: as palavras do outro podem pesar, pode ser difícil deixar-se observar e ser descrito por ele. A sensibilidade do facilitador vai determinar a necessidade de intervenções se perceber que determinada fala causa muito incômodo. É importante explicitar que estamos em um momento novo, de abrir caminhos, e estamos juntos enfrentando cada dificuldade. Talvez o exercício provoque riscos, confissões e até lágrimas. É importante estar bastante atento para conduzir bem esses vários "climas", dando espaço para a expressão das emoções, porém sem esquecer que o propósito da experiência é a facilitação da escrita.

Caso os participantes não se conheçam de outros contextos, vale manter a dinâmica, propondo que dois ou três deles falem de outro, imaginando as características deste. E a pessoa descrita vai dizendo o que confere e o que não confere. Claro, confirmando com cada um se está confortável de estar no jogo.

No final, o facilitador pode se apresentar e explicar a proposta do conjunto das oficinas, deixando clara a rota que vai percorrer, sem, no entanto, fixar metas ou pontos de chegada. Vale distribuir um caderno de capa dura, para estimular todos a tomar notas e fazer desenhos que cartografem o processo. Essa atividade feita no papel torna possível ativar a escrita cursiva, em que desenhamos as letras para passar a mensagem — hábito quase extinto pelo uso excessivo de teclados. Escrever à mão exige uma coordenação própria, faz da letra cursiva uma marca pessoal, ativa outro tipo de ritmo e de sensibilidade, digamos, mais analógica, mais lenta, fora do "piloto automático".

Além de iniciar o contato grupal, essa prática de apresentação dos participantes também aciona o propósito de contar histórias, criar personagens, perceber os detalhes de outros, organizar os afetos para, no decorrer das oficinas, organizar narrativas. Por meio das histórias, podemos chegar mais perto das pessoas.

Encerramento — Formar um círculo, cada participante percebendo como estava se sentindo no começo da experiência e como está se sentindo agora. Dizer, um de cada vez, a palavra que marcou sua vivência. Depois, todos pronunciam ao mesmo tempo as palavras que escolheram, até chegar o silêncio. Palma final, todos juntos.

Segundo encontro

Intenção — Continuar as dinâmicas de escuta e registro. Iniciar a produção de textos breves. Iniciar a expressão oral do material produzido.

Abertura — Prática não verbal, percepção de como está o corpo, espreguiçamentos, ritmos vocais ou corporais.

Dinâmica — Com a turma dividida em duplas, a proposta é que um conte ao outro a história do próprio nome. Depois de uns 15 minutos, trocam de lugar e cada um vai produzir um pequeno texto a partir do que ouviu.

Terminada a atividade, todos, em pé, voltam a formar uma roda.

É importante perceber como estão os pés sobre o chão, como as pernas estão sobre os pés, como o quadril está sobre as pernas, como está o peito, como estão os ombros sobre o peito, como está o pescoço sobre os ombros, como está a cabeça sobre o pescoço. E, de olhos fechados, respirar ampliando cada pequeno espaço, sentindo que o ar percorre todos os espaços da cabeça, está entre as costelas e vai permeando o interior do corpo.

Então, começa a descrição do funcionamento do aparelho auditivo. Descrevem-se orelhas, como conchas acústicas, parte externa que capta os sons que vêm pelo ar. Os estímulos sonoros são conduzidos pelo ouvido externo, fazendo vibrar os delicados ossinhos (martelo e bigorna). Conforme ocorre a vibração das ondas sonoras, cílios microscópicos se movem, conduzindo o estímulo sonoro até o ouvido interno. Lá está a cóclea, o tecido em forma de espiral onde, em meio líquido, feito da mistura de cálcio e potássio, os cílios microscópicos vibram, conduzindo o som pelo nervo coclear até o córtex auditivo. Então, o estímulo sonoro propagando-se pelo ar vira estímulo elétrico, vira sinapse processada no cérebro, o que nos permite distinguir os sons de máquinas e homens, de engrenagens e de vozes, de palavras ou de música e estabelecer a comunicação. É um sistema muito delicado. Pode ser angustiante ficar tanto tempo com os olhos fechados, sem estar exposto a estímulos visuais, que tomam 90% da percepção, para prestar mais atenção à escuta. Mas vale a pena acordar para esse sentido tão delicado e do qual tanto dependemos.

Alguns segundos mais em silêncio e é hora de assistir ao vídeo "Viagem do som pelas vias auditivas", que mostra o que o grupo acabou de vivenciar.

Depois dessa estimulação, todos voltam às duplas e repetem o exercício. Novamente, um conta a história do nome, o outro escuta e escreve. E vice-versa.

A intenção é provocar a repetição, fundamental no processo formativo, de produção de corpo e de presença e também no processo da escrita, em que temos que ler, intervir, corrigir, revisar o mesmo texto muitas vezes, até que ele fique pronto.

Vale lançar a pergunta: como foi ouvir e escrever na primeira vez? E na segunda vez? Quais são as semelhanças e as diferenças?

Nem todos precisam responder, mas é importante para a sensibilização que fiquem com essas perguntas em mente e comecem a sentir o efeito da ativação corporal para o processo de escutar e escrever.

Terminada a atividade, cada um lê o texto que escreveu sobre o nome do parceiro. O protagonista comenta como foi ouvir a história de seu nome. Todos falam sobre a experiência de ouvir.

Vale pedir para repetir a leitura e ver se surgem novas impressões, a partir do texto que já não é mais surpresa. A escuta coletiva é muito potente: ela coloca a história individual em uma dimensão coletiva e pode multiplicar as percepções sobre o que está sendo dito e também sobre quem escreve ou lê ou escuta. Amplia a possibilidade de não enrijecer a leitura do mundo.

Vale também repetir as perguntas: Como você faz o que você faz? Como você ouve o que você ouve?

As pessoas podem responder ou não, o importante é perceber essa camada corporal da experiência.

Encerramento — Fazer um círculo, todos dirigindo o olhar para o meio dele, ficando mais perto uns dos outros, só respirando. A proposta é que cada um ouça o som da própria respiração e escolha uma palavra sobre o que vivenciou no encontro do dia. Primeiro, é feita uma rodada com a fala de cada um, depois todos juntos pronunciam as palavras escolhidas para que soem como um coro, até o silêncio se instalar. Breve pausa, facilitador prepara a palma e todos batem uma palma final, em uníssono.

Terceiro encontro

Intenção — Caso o facilitador já tenha feito um diário de campo, com notas, fotos e materiais, vale a pena apresentar para os participantes o que foi recolhido até aqui. Isso pode inspirá-los a organizar o próprio material de pesquisa ou de escrita e ainda torna mais concreta a noção de que há um processo em curso, em que cada um é protagonista e faz parte do grupo que é o que move esse processo, possível de ser cartografado. (É válido comentar fatos relacionados ao que está lendo, aos eventos literários ou de interesse relacionado à pesquisa, da produção escrita.)

Abertura — Apenas com gestos, orientar os participantes a formar um círculo. Depois de alguns minutos, apenas respirando e sustentando essa presença em grupo, convidar cada um a fechar os olhos e perceber como está se sentindo. Em seguida, pedir que fiquem todos de costas para o centro da roda, se espreguicem e bocejem o quanto quiserem e façam outros ajustes para estar ali. Pedir então que se voltem para o centro da roda de novo e que cada um diga uma palavra que indique a expectativa para a atividade.

Dinâmica — Aprofundar os conceitos sobre a escuta e produzir um texto a partir do vídeo sobre o aparelho auditivo apresentado no encontro anterior (pode ser revisto). Continuar o trabalho com a expressão oral, fazendo em poucos minutos, não mais que 20, a leitura de alguns dos textos produzidos.

Encerramento — Formar o círculo, primeiramente com as costas voltadas para o centro. De olhos fechados, perceber os sons da própria respiração ou outros do próprio corpo. Em seguida, os dos companheiros ao lado. Na sequência, perceber os sons ao redor da sala, dos mais próximos aos mais distantes. Depois de uns 30 segundos, ainda de olhos fechados, voltar a frente do corpo para o centro da roda. Pronunciar lentamente um verbo no gerúndio que represente seu estado no momento. Todos falam. Abrir os olhos, olharem-se e palma final.

Quarto encontro

Intenção — Conectar cada participante com o próprio corpo e com o fato de que todos os seres vivos têm algo em comum: pulsam. A partir das percepções sensoriais, será possível ativar os sentidos para o ato da escrita e transformar a experiência em texto que fale do corpo.

Abertura — O convite é para que os participantes formem um círculo no centro da sala, fechem os olhos ou os deixem voltados para o centro da roda. Com pés e mãos descruzados, perceber os pés sobre o chão, as pernas sobre os pés, o quadril sobre as pernas, as costelas, os ombros, o pescoço sobre os ombros e a cabeça sobre o pescoço. Levar o peso do corpo para a frente dos pés e soltar o joelho um milímetro, para não ficar esticado. Cada um deve tentar escutar o barulho da própria respiração, e a seguir os barulhos mais próximos, os barulhos fora do prédio e os ruídos mais distantes.

Depois de alguns minutos, já sabendo o que acontece dentro dos ouvidos, os participantes são convidados a fazer o caminho inverso da escuta, primeiro ouvindo os barulhos distantes, e a seguir os de fora do prédio, os mais próximos, a voz do facilitador e a própria respiração.

Dinâmica — Com a mão direita, pegar o pulso esquerdo. Segurá-lo até sentir a veia pulsando. (Se necessário, ajudar os que têm dificuldade de achar o próprio pulso.)

Perceber como é o próprio pulso e dizer uma palavra que defina isso (ritmado, forte, fraco, vivo etc.).

A turma então se divide em dois grupos. Um vai fazer o som do pulso quando se contrai, e o outro vai fazer o som do pulso quando se expande. Brevemente, os participantes combinam qual será o som.

Voltar ao círculo. Depois do sinal do facilitador, os dois grupos fazem a sequência de sons da contração e da expansão, alternando. Podem cantar a sequência parados ou caminhando pela sala. O facilitador propõe então uma pulsação lenta, uma pulsação de apaixonado, uma pulsação de relaxamento, uma pulsação de alegria. Enquanto variam a intensidade e o ritmo das sílabas sem combinação prévia, eles seguem até que se instaure um ritmo harmonioso.

Essa dinâmica estimula a autopercepção, além da noção de que os textos também variam de ritmo, de intensidade, de pulso.

Voltando aos seus lugares, os participantes são orientados a produzir um pequeno texto sobre a experiência de pulsar e a lê-lo em voz alta.

Encerramento — Formar o círculo. Conectar-se com a própria respiração, com os sons do corpo enquanto o ar entra e sai, conectar-se com os barulhos próximos, com a voz do facilitador, conectar-se com os ruídos de fora do prédio e com os sons mais distantes. Depois de alguns minutos, cada um nomeia um dos sons que conseguiu distinguir e em seguida todos repetem as palavras escolhidas em uníssono, variando a intensidade, a altura e os tons da emissão da voz, até o silêncio se apresentar. O facilitador faz o gesto da palma e todos batem uma palma final juntos.

Quinto encontro

Intenção — Perceber a diferença entre o texto interpretativo e o texto descritivo. Praticar o texto descritivo, priorizando as descrições corporais de personagens, com precisão.

Abertura — Em círculo, voltados para o centro da roda, todos são orientados a se entreolhar por alguns minutos. Então, o convite é para que se virem para o lado direito e façam, por cima da roupa, uma leve massagem nos ombros e nas costas do parceiro à sua frente. Depois, a pessoa que está atrás coça os ombros e as costas do parceiro por alguns minutos. Todos são estimulados a fazer sons e a respirar fundo, conforme o relaxamento acontece. A seguir, trocam de lado e repetem o exercício. Propõe-se que percebam como são diferentes os modos de massagear e as reações de quem recebe os toques. Por fim, todos se voltam para o centro da roda, percebem como estão se sentindo e retornam aos seus lugares.

Dinâmica — Essa dinâmica requer uma introdução. Qual é a diferença entre o texto descritivo e o texto interpretativo?

Enquanto o texto interpretativo pode ceder a conjecturas e ser composto por figuras de linguagem, o texto descritivo é mais realista. Fala de um funcionamento: como tal pessoa se move, como aquela outra gesticula, como o outro dirige. Em muitas situações profissionais, especialmente na clínica médica ou psicoterápica, a descrição é a forma que dá consistência ao que queremos comunicar e permite compartilhar com precisão características físicas e comportamentais. Como regra geral, ao começar um texto de prontuário, tese ou dissertação, a descrição pode ser o caminho seguro para ter um texto fluido. Nessa proposta de experiência direta, corporal, a descrição é muito valiosa.

O documentário *O zero não é vazio*, de Marcelo Masagão, dá subsídios para isso. Vale assistir ao filme todo, que coloca em foco pessoas em sofrimento psíquico que encontram na escrita um meio de expressão, produzindo ideias e material literário inusitado.

Em especial, como ilustração do texto descritivo, a personagem Tatiana é apresentada pela narradora e apresenta a si mesma. Assistir ao trecho duas ou três vezes permite perceber as nuances das duas narrativas.

A proposta é comparar os dois estilos: O que os participantes percebem? Qual das duas narrativas é mais forte? Se não houvesse imagens, poderíamos "ver" Tatiana através do texto?

A narradora apresenta Tatiana e seu passado glamouroso descrevendo suas roupas muito antigas em um armário negro. Assim, a história da personagem passa a ser compartilhada por todos nós.

Em um segundo momento, Tatiana está desenhando e fala de si mesma. É possível comparar a consistência do primeiro e do segundo momentos?

O convite é para que os participantes façam uma descrição de Tatiana. Pensando em tudo o que sabem dela, farão uma descrição do seu corpo: que corpo é esse que se move desse jeito? Que põe essas luvas desse jeito?

Eles produzem os textos para leitura com o grupo novamente, prestando atenção ao corpo e ao modo de tornar a leitura fluida e clara para todos.

É interessante que, durante a leitura, o facilitador construa, na lousa, uma lista com os adjetivos atribuídos às partes do corpo da personagem e outra de verbos. Para ampliar a percepção e o vocabulário, vale propor sinônimos e criar nuances na descrição.

Costas: adjetivos	Rosto: adjetivos	Verbos
arqueadas	vincado	envelhecer
abauladas	enrugado	vestir
encurvadas	inúmeras linhas desalinhadas	divagar
vergadas	afinado	confundir
	testa larga	combinar
	nariz proeminente	

Encerramento — Em círculo, de olhos fechados, os participantes são orientados a responder mentalmente às seguintes perguntas:

- Como eu estava quando cheguei?
- Como estou agora?
- Como está o pulso da minha cabeça?
- O pulso do meu peito?
- O pulso da minha barriga?

Então escolhem um verbo no gerúndio que represente como estão sentindo o corpo agora (por exemplo, "Eu, Liliane, relaxando"). No sentido anti-horário, cada um fala o seu verbo, e depois todos juntos repetem os verbos para fazer a música do grupo, até o silêncio chegar.

De olhos abertos, o facilitador faz menção de bater palma e todos batem a palma final.

Sexto encontro

Intenção — Detectar bloqueios de escrita e estimular a prontidão para escrever, a partir do exercício da escrita automática.

Abertura — Pode-se repetir uma das práticas anteriores ou compor várias delas, criando outra. O importante é convidar com gestos, não com a fala, e proporcionar um momento em que cada um se conecte consigo mesmo e também com o grupo, percebendo como está se sentindo e como pode estar mais disponível para a produção do dia.

Dinâmica — Nas oficinas, esse encontro é muito importante. Originalmente, para a pesquisa, foram aplicadas dinâmicas e compartilhados conceitos do processo formativo. Isso exige um estudo prévio para perceber os microgestos e as nuances corporais que caracterizam os bloqueios de escrita, bem como ativações capazes de dissolvê-los. Na falta desse conhecimento prévio, pedir que cada um descreva como escreve o que escreve: Em que ambiente costuma escrever? É o melhor ambiente para isso? Como é a postura corporal para a escrita? É tensa? É gostosa? Como gostaria que fosse? Enquanto escreve, tem algum tipo ansiedade? Como fica o ritmo dos pensamentos? E da respiração? Consegue expressar tudo o que quer dizer? É diferente escrever no computador e com letra cursiva? Do que gosta mais? Tem facilidade de escrever ou é difícil? Difícil como? Sente algum bloqueio? Para começar o texto, durante sua feitura, para terminá-lo? De onde acha que vem esse bloqueio? Foi sempre assim? Costuma gostar do que escreveu? Corrige muito?

Essas são apenas algumas perguntas disparadoras de narrativas sobre os bloqueios de escrita e de expressão em geral. Falar disso, "tentar compreender como escreve o que escreve", identificar-se com outros já é um modo de dar fluxo e amaciar — ao menos um pouco — os padrões limitantes em relação à produção de textos.

Depois da conversa, o facilitador lê o texto que vai inspirar a atividade. Leitura do texto da escrita automática em *Mulher trêmula*, de Siri Hustvedt (2009, p. 72):

> Durante a escrita automática, a pessoa não sente que controla o texto. Não escrevi o texto: foi escrito em mim. O fenômeno pode ser chamado de síndrome literária da mão alheia. A sensação de que as palavras são ditadas a quem escreve, em vez de compostas, contudo, não se perdeu no passado. [...] Entre os escritores, podemos dizer, isso não chega a ser extraordinário: é bem comum. Quando estou escrevendo bem, com frequência perco todo o senso de composição. Não é minha maneira costumeira de escrever, que inclui polimento, períodos dolorosos de iniciativas e interrupções. Mas a sensação de ser conduzida acontece diversas vezes durante a criação de um livro [...].

Em seguida, para ser divertido, a proposta é colocar a caneta ou o lápis no papel e deixar essa escrita automática acontecer. Não há nenhuma outra regra, só pôr no papel e tentar estabelecer esse fluxo contínuo como se fosse uma descarga. Vale escolher um assunto ou vários, ser carta, descrição de sensações... vale tudo. O importante é sintonizar o ritmo das ideias com o ato da escrita. A atividade dura 15 minutos.

Depois, cada um conta como se sentiu: Foi fácil? Difícil? Como é o seu ritmo? Alguns leem o texto para o grupo.

Encerramento — Todos em círculo, olhos fechados, são estimulados a lembrar como estavam se sentindo no começo da oficina e como estão agora, e a perceber quais foram as descobertas desse encontro. Escolhem um verbo no gerúndio e o dizem em voz alta. No final, mais alguns instantes de silêncio. O facilitador prepara a palma, todos batem a palma final juntos.

Sétimo encontro

Intenção — Aumentar a percepção do próprio corpo, aguçar os sentidos, estimular a escuta e novas formas de fazer contato com textos. Aprender a fazer um somagrama, isto é, um gráfico do próprio corpo, para tornar mais evidentes bloqueios e/ou fluxos de energia vital.

Abertura — Em pé e em círculo, os participantes são convidados a fazer tudo bem devagar, saindo do piloto automático, sentindo a lentificação como uma aliada para perceber a si mesmos e o ambiente. Todos copiando os gestos do facilitador. Devem lentamente fazer caretas, usando todas as partes do rosto e moldando essa musculatura como se fosse uma massinha. A certa altura, o facilitador pede que todos parem onde estão, intensifiquem a careta desse momento e, depois de alguns instantes, desmanchem gradualmente essa forma e moldem outra careta. Após alguns minutos, para tornar mais complexos os circuitos neurais envolvidos, todos são orientados a deixar os braços ao longo do corpo e a abrir e fechar as mãos. Ao abrir, esticando bem os dedos, ao fechar, percebendo o ritmo e a força do gesto. A relação das mãos com o neocórtex é muito imediata. Se a pessoa se mexe assim, traz para si uma qualidade de presença mais firme, menos ansiosa, abrindo a possibilidade de estar mais confortável para começar o dia de trabalho e permanecer no aqui e agora.

Depois de alguns minutos de caretas e gestos, os participantes devem cessar essa atividade bem devagar e ficar por alguns minutos recebendo os efeitos dessa ativação.

Dinâmica — Em relatos breves, cada um pode contar como foi chegar até o encontro, como está se sentindo no momento e quais são suas expectativas para o dia. Em seguida, se possível com os participantes deitando-se no chão (sobre colchonetes) ou mudando a posição das cadeiras e o modo de sentar, o facilitador faz a leitura de um texto que fala do corpo e da relação do corpo com o ambiente. Não é comum apreender conhecimento ou prestar atenção fora da postura sentada, então essa será a experiência.

Para começar, depois de algumas respirações profundas, todos são estimulados a sentir como está o contato do corpo com o chão ou a cadeira e quais são os apoios que sustentam a postura escolhida. A leitura deve durar no máximo dez minutos e ser feita com voz bem consistente, com ritmo tendendo ao lento, mas sem ser arrastada. Escolhi um trecho de *Anatomia emocional*, de Stanley Keleman (1992a, p. 11-12; 15-17):

≡ A vida produz formas. Essas formas são parte de um processo de organização que dá corpo às emoções, pensamentos e experiências, fornecendo-lhes uma estrutura. Essa estrutura, por sua vez, ordena os eventos da existência. As formas evidenciam o processo de uma história protoplasmática, que caminha para uma forma pessoal humana — concepção, desenvolvimento ontológico e estruturas da infância, adolescência e vida adulta. Moléculas, células, organismos, grupos e colônias são as formas iniciais do movimento da vida. Mais tarde, a forma da pessoa será moldada pelas experiências internas e externas de nascimento, crescimento, diferenciação, relacionamentos, acasalamento, reprodução, trabalho, resolução de problemas e morte. Ao longo de todo esse processo, a forma é impressa pelos desafios e tensões da existência. A forma humana é marcada pelo amor e pelas decepções.

[...] Do ponto de vista do processo, a vida é uma sucessão de formas que se movem mais ou menos como num filme. Quando o movimento diminui, podemos perceber as mudanças que acontecem em uma postura emocional de um momento para o outro. Se pudéssemos fotografar nossa vida e projetá-la quadro por quadro, perceberíamos que somos sequências móveis de formas emocionais variadas. Uma implosão de células organiza um feto; depois, ele se molda numa criança; e, finalmente, num adulto. Essa jornada do ovo fertilizado organiza subdivisões, compartimentos passagens e labirintos, que contêm fluidos eletrificados. À medida que dialogamos com as formas que nos cercam — primeiro, com o útero; depois, com nossa mãe; e, em seguida, com muitas outras —, constituímos os estratos das formas emocionais. [...]

Anatomia emocional significa camadas de pele e músculos, mais músculos, órgãos, mais órgãos, ossos e a invisível camada de hormônios, bem como a organização da experiência. Estudos anatômicos tendem a utilizar imagens bidimensionais, ficando assim perdido o elemento mais importante: a vida emocional. Ao mesmo tempo, falta à psicologia comprometida com o estudo das emoções a compreensão anatômica. Sem anatomia, não há emoções. Os sentimentos têm uma arquitetura somática.

[...]

A existência é um tributo organizado em formas vivas. Ser um indivíduo é seguir os impulsos da própria forma e aprender suas regras únicas de organização. Esse princípio de organização, esse imperativo para a forma é a linguagem do universo, da sociedade e a nossa própria linguagem.

[...]

A vida é um processo — uma cadeia interligando fatos isolados de vida diferenciados em formas específicas de existência, com um tema subjacente. O universo é um processo, um gigantesco evento organizado de existência, contendo micro-organizações. A sociedade, do mesmo modo, é um processo, contendo subpartes vivas. E cada um de nós é um processo, um todo constituído de eventos vivos com um impulso para a organização.

[...] O processo de criação é pesquisado de seu micro a seu macrodesenvolvimento, desde a descamação de um pequeno evento até a organização em camadas de existência cada vez maiores e mais complexas. Deste ponto de vista, há dois fatos cruciais: a vida é um evento inteiro e não uma série de subsistemas, e todas as formas de vida são interligadas, brotando de uma única matriz comum. A existência e organização procedem de fora para dentro. Do grande para o pequeno. Os eventos podem ser organizados de fora para dentro e de dentro para fora, do pequeno para o grande, do grande para o pequeno, do geral para o particular, ou vice-versa. [...]

Os seres humanos se organizam ao redor de uma série de espaços. Esses espaços permitem a passagem de líquidos. Um antigo filme sobre o protoplasma, feito por William Siefritz[14], mostra que o citoplasma e protoplasma organizam um espaço por compressão das fronteiras externas e por expansão das camadas internas — qualquer coisa que se mova cria uma pressão de superfície para gerar uma passagem de si mesma para si mesma. Da motilidade dos fluidos humanos procedem as fronteiras, que são os canais e tubos do corpo.

Depois de alguns segundos, todos voltam a se sentar normalmente e fazem no caderno ou na lousa um desenho do próprio corpo. É comum que alguns digam que não sabem desenhar, porém, basta deixar a mão fazer seu percurso livremente até surgir uma figura que corresponda ao que cada um pode captar do próprio corpo. Vale indicar no desenho (com flechas, cores ou palavras) as partes do corpo que chamaram mais a atenção, as mais doloridas, a diferença entre o ritmo da cabeça, do peito e da barriga.

Cada um vai contemplar o próprio desenho. E a proposta é que todos façam um texto breve e descritivo (pode ser um diálogo) sobre o que acabaram de viver, com o objetivo de acessar a prontidão e produzir um registro da experiência toda ou de sua parte mais marcante. Vale descrever o somagrama, que não é um desenho qualquer, mas um modo de cartografar o que cada um está vivenciando em seu corpo.

Alguns podem ler os escritos, colocando em prática todos os modos aprendidos de estarem mais presentes e em sintonia consigo mesmos, com o grupo, com o texto, com quem ouve.

Encerramento — Todos em círculo, cada um é convidado a lembrar como estava no começo do dia e como está agora, e a escolher um verbo no gerúndio para definir o corpo que está experimentando no momento. Deixar que o silêncio ecoe. O facilitador prepara a palma e todos batem a palma final.

---

14   O vídeo está disponível em: https://www.youtube.com/watch?v=_ihSxAn4WR8. Acesso em: 24 out. 2023.

Oitavo encontro

Intenção — Aprender que a vida se estabelece por meio de pulsos, de ritmos. Escrever a partir do contágio por sons e imagens de medusas no oceano (formas, cores, lentidão, ambiente líquido).

Abertura — Com o mínimo de palavras, a turma é convidada a formar um círculo. Pede-se que todos se entreolhem com calma e fechem os olhos. Depois, são instruídos a se virar para o lado direito e fazer uma massagem suave nos ombros e nas costas de quem estiver à frente. Após alguns minutos, viram-se para o lado oposto e repetem a massagem. A seguir, voltados para o centro do círculo, devem abrir os olhos, se entreolhar novamente e dizer algo que mudou em algum outro participante ou em si mesmos com esse breve contato. Nesse tipo de processo, é interessante que cada um se compare consigo mesmo. Dez minutos antes, não haviam começado a produzir o dia. E agora, como estão? Cada um se define com uma palavra.

Dinâmica — Com a sala a meia-luz, projetar um vídeo que mostra medusas no mar. Há vários no YouTube. Pela duração e pela harmonia com a música, escolhi um que consta no canal Lullaby Baby.[15]

Antes disso, todos são convidados a se levantar e a se espalhar pela sala. A prática consiste em caminhar em várias direções, dando meio passo de cada vez, bem lentamente. Depois de alguns minutos, os participantes são instruídos a sincronizar os gestos com a respiração. Os movimentos são bem pequenos. Quando a pessoa levanta o pé, inspira e traz as mãos para a frente do corpo, o que promove um pulso vertical. Quando pousa o pé, meio passo à frente, ela expira, o que promove um pulso horizontal. Então, faz a transferência de peso e recomeça o deslocamento, de forma cada vez mais consciente. Assim vamos andando sobre o planeta: inspirou-contrai-meio--passo-expirou-sola-do-pé-no-chão-expande. Cada um deve notar os fluxos, sensações, palavras ou imagens que vierem à mente. Em seguida, é hora de dar *play* no vídeo das medusas e provocar o contágio com esses vários e di-

---

[15] Disponível em: https://www.youtube.com/watch?v=uNsrXzY3Mgc. Acesso em: 24 out. 2023.

ferentes pulsos. No final, todos param onde estiverem, e cada participante deve perceber como se sente depois da prática: Qual é a qualidade da sua presença agora? Está mais introspectivo? Mais sensível? Mais disposto? Mais relaxado?

Ainda sem falar, devem produzir um texto breve sobre a experiência.

Na sequência, todos leem seus textos.

Encerramento — Em círculo, todos são convidados a lembrar como estavam se sentindo no começo do dia e como estão agora. Diferentemente dos outros encerramentos, neste cada participante deve criar uma palavra inspirado no contágio com o ambiente das medusas. Pode ser um verbo, um substantivo, um adjetivo, porém uma palavra que ainda não existe. Que nascerá nesse círculo, no encerramento dessa experiência com a pulsação da vida.

Cada um diz sua palavra. Depois, todos pronunciam ao mesmo tempo as palavras que criaram, até que o silêncio venha. O facilitador prepara a palma, todos batem juntos a palma final.

Nono encontro

Intenção — Perceber o corpo, a respiração e estimular o próprio pulso, como recurso para aumentar a qualidade de presença e de atenção a si mesmo e ao ambiente.

Abertura — Na sala a meia-luz ou apenas com a iluminação natural diurna, todos se deitam de costas sobre colchonetes, palma das mãos voltada para cima. São convidados a fechar os olhos e perceber quais partes do corpo tocam o chão e quais não, as áreas mais tensas, as regiões mais macias, notando que a pele contorna todo o corpo.

Em seguida, devem dirigir a atenção para o ritmo da cabeça, para a sensação do peito e da barriga. Algumas perguntas, que não precisam ser respondidas, ajudam a estimular a autopercepção:

É difícil ficar no corpo?

É fácil estar nele? Mesmo que não percebamos, o corpo está conosco em todos os lugares.

O que define o meu corpo? Os pontos de dor? Os pontos de relaxamento?

Para deixar ainda mais presente a sensação do contorno no chão, o facilitador pede que todos apoiem a sola dos pés no chão, pés paralelos na largura do quadril, palma das mãos voltada para baixo.

Segue-se então outra parte do exercício, em sintonia com a respiração.

Cada um inspira e depois, quando o ar sai, pressiona a palma das mãos e a planta dos pés no chão, como se fossem ventosas. A expiração deve ser bem longa, soltando o máximo possível de ar (esse é um jeito de diminuir a ansiedade). O umbigo deve afundar em direção à coluna. Quando o ar entra, solta essa pressão. Cada um no seu ritmo, seguindo a respiração como está no momento, sem alterá-la, apenas sintonizando as ventosas com a entrada e a saída do ar.

A força da gravidade faz que fiquemos grudados no chão, e esse modo de grudar mais os pés e as mãos nos permite perceber o nosso pulso.

O facilitador orienta os participantes a se lembrar das medusas, explicando que o que eles estão fazendo é se encher de ar, soltar o ar e dar impulso, como se estivessem nadando.

Pede então que, com essa ativação no pulso, percebam se há alguma diferença no ritmo da cabeça, no ritmo do peito, no ritmo da barriga.

Que barulho faz sua inspiração? Que barulho faz quando soltam o ar? Há algum barulho que vem do estômago, do intestino? Há algum outro som vindo do corpo? Devem apenas observar.

Com tudo isso, vão perceber também os contornos do corpo.

Essa prática não é um relaxamento, mas uma ativação do pulso. Por cerca de 15 minutos, devem perceber como está sua presença ativada por esse pulso.

A seguir, esticar as pernas, voltar a palma das mãos para cima e apenas receber a ativação feita.

Depois de uns três minutos, antes de se levantar, cada um segue o que o corpo quer fazer: espreguiçar-se, bocejar, encolher-se, esticar-se... A seguir, sentar devagar e desenhar um somagrama do corpo que está experimentando agora. Compartilhar com o grupo: com que disposição chegou para a atividade? Como foi fazer a prática do pulso? Como o corpo se manifestou? Como está se sentindo agora? Essa camada da conversa é muito importante para a experiência individual tornar-se coletiva.

Dinâmica — Mantendo o estado de presença conquistado, a proposta é que o grupo assista ao documentário *O habitante de Pasárgada*[16], que mostra o cotidiano, os hábitos, os gestos do escritor Manuel Bandeira.

Na sequência, o facilitador pede que cada um faça um texto breve construindo um personagem que seja uma pessoa comum, descrevendo seu corpo, seus hábitos, sua rotina. Uma pessoa comum também passível de mediocridade e fracasso. Pode ser inspirado em alguém conhecido ou uma criação.

Em seguida, cada participante conta como foi o processo de produzir esse texto a partir do vídeo e apresenta o seu personagem para os demais. O grupo conversa sobre cada um dos personagens que ganharam vida nesse exercício.

Encerramento — Em círculo, de olhos fechados, o grupo é estimulado a lembrar as várias etapas do encontro, o contágio das sensações e das imagens. Cada participante escolhe uma característica descrita em um dos personagens criados e diz uma palavra. Depois, todos repetem ao mesmo tempo as palavras escolhidas, até o silêncio chegar. Palma final.

Décimo encontro

Intenção — Este último encontro é destinado à contemplação do processo todo, das descobertas individuais e coletivas. Contemplar o caminho percorrido, o encontro e os desejos futuros em relação ao corpo, à saúde, aos modos de escutar a si mesmo e aos outros e ao que se deseja desenvolver no futuro.

Abertura — Todos em círculo, em pé, são convidados a perceber como estão se sentindo no momento. Dando as costas para o centro, cada um pode se espreguiçar, bocejar, fazer todos os ajustes corporais, emitindo sons, respirando fundo, aumentado a percepção de si mesmo e de tudo o que está em volta. Voltando a olhar para o centro, todos se entreolham, fecham os olhos novamente e percebem como estão apoiados sobre os pés, como estão

---

[16] *O habitante de Pasárgada*. Direção de Fernando Sabino e David Neves. 1959. 10 minutos. Disponível em: https://youtu.be/acWHzVBs394. Acesso em: 24 out. 2023.

as pernas, a bacia, a barriga, o peito, os ombros, o pescoço, a cabeça sobre o pescoço. O convite é lembrar o primeiro círculo, lá no início das oficinas. E contar para o grupo em uma palavra: Qual é a sensação dessa memória?

Sentam-se em círculo, no chão ou nas cadeiras.

Dinâmica — Basicamente, é uma conversa: Quais foram os pontos mais marcantes? Quais materiais foram mais apreciados? As expectativas do participante foram atendidas? Mudou algo na sua rotina profissional? Mudou algo nos seus cuidados com a própria saúde? Mudou algo na sua forma de escrever, na fluência da sua escrita? Seu repertório de leitura se ampliou? Ficou mais prazeroso ler e escrever? Gostaria de ter seus textos publicados de alguma forma? Se sim, como imagina isso? O que leva desta experiência?

Em seguida, cada um é convidado a fazer um último somagrama.

Todos colocam os desenhos no centro do círculo e os contemplam, compartilhando as últimas impressões.

Encerramento — Todos em pé, em círculo, colocam os respectivos desenhos no chão, na direção dos pés, e contemplam essa imagem por alguns segundos, fixando esse desenho como uma instantânea da experiência. O facilitador prepara a palma. Todos batem a palma final.

Referências

ANDERSON, Perry. "O mitólogo". *Piauí*, Rio de Janeiro, n. 64, jan. 2012. Disponível em: https://piaui.folha.uol.com.br/materia/o-mitologo/. Acesso em: 25 out. 2023.

AYRES, José Ricardo de Carvalho Mesquita. "O cuidado, os modos de ser (do) humano e as práticas de saúde". *Revista Saúde e Sociedade*, São Paulo, v. 13, n. 3, p. 16-29, 2004.

BAITELLO JUNIOR, Norval. *O pensamento sentado*. São Leopoldo: Unisinos, 2012.

BANDEIRA, Manuel. "Testamento". In: *Poesia completa e prosa*. Rio de Janeiro: Nova Aguilar, 1967.

BARTHES, Roland. *A preparação do romance*. São Paulo: Martins Fontes, 2005. v. 1.

BLANCHOT, Maurice. *O livro por vir*. São Paulo: Martins Fontes, 2005.

BOFF, Leonardo. *Saber cuidar — Ética do humano — Compaixão pela terra*. Petrópolis: Vozes, 1999.

CALVINO, Italo. *Seis propostas para o próximo milênio*. São Paulo: Companhia das Letras, 1998.

COCCHIARO, Liliane Oraggio; LIBERMAN, Flavia; FERIGATO, Sabrina. "Atos de criação como processo vivo em pesquisa acadêmica". *Interface — Comunicação, Saúde, Educação*, Botucatu, v. 26, e210768, 2022. Disponível em: https://doi.org/10.1590/interface.210768. Acesso em: 25 out. 2023.

COSTA, Luciano Bedin da. "Cartografia: uma outra forma de pesquisar". *Revista Digital do LAV*, Santa Maria, v. 7, n. 2, p. 66-77, maio/ago. 2014. Disponível em: https://periodicos.ufsm.br/revislav/article/view/15111. Acesso em: 25 out. 2023.

DELACOMPTÉE, Jean-Michel; GANTHERET, François (orgs.). *Le royaume intermédiaire — Psychanalyse, littérature, autour de J.-B. Pontalis*. Paris: Gallimard, 2007.

DELEUZE, Gilles. *Cursos sobre Spinoza — Vincennes, 1978-1981*. Fortaleza: Editora da Universidade Estadual do Ceará, 2009.

_____. *Clínica e crítica*. São Paulo: Editora 34, 2011.

EVARISTO, Conceição. *Olhos d'água*. Rio de Janeiro: Pallas, 2015.

FAVRE, Regina. "Trabalhando pela biodiversidade subjetiva". *Cadernos de Subjetividade*, São Paulo, n. 12, p. 108-23, 2010.

_____. "Corpar, nosso verbo principal". 2014. Disponível em: https://laboratoriodoprocessoformativo.com/2014/02/corpar-nosso-verbo-principal/. Acesso em: 25 out. 2023.

_____. "Corpos na multidão, medusas nos mares, bombas pulsáteis: uma incursão no campo corporalista". *Ide*, São Paulo, v. 38, n. 61, p. 63-78, 2016.

FOUCAULT, Michel. *O belo perigo*. São Paulo: Autêntica, 2016.

FUKS, Julián. "O trabalho que nos impomos: como a produtividade nos rouba prazer e arte". *UOL*, 24 abr. 2021. Disponível em: https://www.uol.com.br/ecoa/colunas/julian-fuks/2021/04/24/o-trabalho-que-nos-impomos-como-a-produtividade-nos-rouba-prazer-e-arte.htm. Acesso em: 31 maio 2021.

HAN, Byung-Chul. *Sociedade do cansaço*. Petrópolis: Vozes, 2015.

HUSTVEDT, Siri. *A mulher trêmula*. São Paulo: Companhia das Letras, 2009.

"Influxo". In: *Oxford Languages* [online], Oxford University Press, 2023. Disponível em: Google. Acesso em: 8 nov. 2023.

Keleman, Stanley. *Anatomia emocional*. São Paulo: Summus, 1992a.

_____. *Padrões de distresse*. São Paulo: Summus, 1992b.

_____. *Corporificando a experiência*. São Paulo: Summus, 1995.

_____. *Amor e vínculos — Uma visão somático-emocional*. São Paulo: Summus, 1996.

Kilomba, Grada. *While I write*. Vídeo, 2015. Disponível em: https://www.youtube.com/watch?v=UKUaOwfmA9w. Acesso em: 30 dez. 2020.

_____. *Memórias da plantação*. Rio de Janeiro: Cobogó, 2019.

Lapoujade, David. *As existências mínimas*. São Paulo: N-1, 2017.

Lopes, Adília. *Aqui estão as minhas contas — Antologia poética*. Rio de Janeiro: Bazar do Tempo, 2002.

_____. *Z/S*. Lisboa: Averno, 2016.

Navarro, Federico. *Metodologia da vegetoterapia caractero-analítica*. São Paulo: Summus, 1996.

Oraggio, Liliane. *Ouço vozes — Escuta, registro de diálogos e epifanias no acompanhamento terapêutico*. São Paulo: Colmeia, 2017.

_____ (org.). *Ins Tantan E Os — Diálogos e epifanias nos percursos da saúde mental*. São Paulo: Oraggio Editorial/Gonfe Studio, 2018.

Passos, Eduardo; Barros, Regina Benevides de. "A cartografia como método de pesquisa-intervenção". In: Passos, Eduardo; Kastrup, Virgínia; Escóssia, Liliana da (orgs.). *Pistas do método da cartografia — Pesquisa-intervenção e produção de subjetividade*. Porto Alegre: Sulina, 2009.

Pontalis, Jean-Bertrand. *À margem das noites*. São Paulo: Primavera Editorial, 2012a.

_____. *À margem dos dias*. São Paulo: Primavera Editorial, 2012b.

Rolnik, Suely. *Cartografia sentimental*. Porto Alegre: Sulina, 2011.

Sacks, Oliver. *Um antropólogo em Marte*. São Paulo: Companhia das Letras, 2006.

Sexton, Anne. *Poesía completa*. Ourense: Linteo, 2013.

Tchékhov, Anton. *Sem trama e sem final — 99 conselhos de escrita*. São Paulo: Martins Fontes, 2007.

O ZERO não é vazio. Documentário, 2005. Direção: Marcelo Masagão. Disponível em: https://www.youtube.com/watch?v=Uk6KFsxP4Y4&feature=share&fbclid=IwAR oVJwUFqmdLyUEy6OaDFu1_LfgX1fj2kiY-plBR6TZzIAbcb_KkNZAcfQ8. Acesso em: 30 dez. 2020.

Anexo — Questionário de avaliação

Estamos chegando ao fim do ciclo de dez encontros das "Oficinas Corpo, Escuta e Escrita — Experimentos Textuais Formativos", que constituiu a pesquisa de campo para a dissertação de mestrado *Escuta e escrita para profissionais de saúde — Uma experiência corporal na interface entre saúde e comunicação*.

Neste segundo semestre de 2019, ao longo dos encontros quinzenais, vivemos juntos vários momentos de emoção, de descoberta, de ampliação do conhecimento e do autoconhecimento. Muito compartilhamos em várias conversas. Agora, peço a gentileza de responderem a este questionário de avaliação, tanto para aprimorar as oficinas como para compor parte da coleta de dados para a pesquisa.

Com imensa gratidão ao grupo e confiança no trabalho, seguimos!

LILIANE ORAGGIO

Nome: Idade:
Endereço postal (para envio dos cadernos):
Área de atuação:
Serviço a que está vinculado no momento:
Nível acadêmico:
(para preenchimento do pesquisador)
Frequência (%):
Textos para antologia:

1. Como avalia as experiências corporais durante as oficinas?
2. Há alguma experiência que tenha sido mais marcante? Qual? Por quê?
3. Como avalia as experiências de comunicação não verbal que foram propostas durante as oficinas (escuta, ritmos, musicalidade)?
4. Há alguma experiência que tenha sido mais marcante? Qual? Por quê?
5. Como avalia a parte teórica e dos materiais (vídeos, biografias, poemas, leituras) apresentados como disparadores das práticas de escuta e escrita?
6. Algum marcou mais? Qual? Por quê?
7. Como avalia a produção de texto durante as aulas? Ajudou em algum aspecto na produção de texto na academia ou no seu trabalho?
8. Como relaciona as práticas corporais na sua produção escrita e na ampliação da capacidade de escuta (seja na academia, seja em seu trabalho)?
9. Há algo que o tenha marcado mais? O quê? Por quê?
10. Quanto aos bloqueios de escrita, você sentiu alguma diferença depois das práticas que fizemos? No quê?
11. Como avalia o compartilhamento dos conceitos, textos e materiais do processo formativo (Keleman/Favre), como base teórica das oficinas?
12. Algum conceito ou informação foi importante para você? Qual? Por quê?
13. Ter participado do processo das "Oficinas Corpo, Escuta e Escrita — Experimentos Textuais Formativos" acrescentou algo a sua vida pessoal e/ou profissional? O quê? Como?
14. Algum dos encontros foi mais marcante para você? Qual?
15. Você gostaria de continuar aprofundando outros temas relativos a corpo, escuta e escrita? Quais?

16. Você considera importante publicar os textos que produziu durante as oficinas? Se sim, como imagina a publicação?
17. Você poderia escrever um pequeno texto sobre este trabalho? A proposta é a seguinte: recorde uma cena que vivemos juntos durante as oficinas; invente um personagem, faça a descrição corporal dele e crie uma situação que se relacione com a cena recordada. Algo entre a ficção e a realidade, no propósito de unir todas as habilidades que abordamos. Pode ser em verso, prosa ou crônica.
18. De 0 a 10, que nota você dá para o nosso ciclo de encontros?

Agradecimentos

Agradeço à turma de alunos, a cada um deles que embarcou comigo nesta pesquisa trazendo o melhor de si. À minha orientadora, profa. dra. Flavia Liberman, aos membros das bancas, aos pacientes que compartilham comigo sua vida, à dra. Rapha Daros, interlocutora no processo, a Fernando Pena por tantas caronas e conversas, a Cacilda Guerra pela preparação de texto cuidadosa.

Ao professor Manoel Cardoso, literato sergipano, quem primeiro viu em mim a escrita brotando, lá no colegial. À dra. Amnéris Maroni, quem primeiro me incluiu em grupos de estudos de psicanálise e da psicologia profunda de C. G. Jung e segue comigo nas travessias do conhecimento. À dra. Ingrid Oliveira e à dra. Ana Paula Louzada, quem primeiro enxergaram em mim a pesquisadora acadêmica.

Ao Laboratório do Processo Formativo de Regina Favre, solo sagrado de muitos encontros.

Agradeço à minha mãe e seu endereço fixo, a todo o amor e aos mimos dominicais.

Agradeço à Serra do Mar e seus abraços de sol e chuva durante os deslocamentos. Agradeço ao Bambu-Mossô, à Embaúba, à Amoreira, ao Abacateiro e ao Mulungu — que floresce vermelho no inverno — por me acolherem cada vez que olho pela janela, sem dúvida de que estão lá exuberantes, renovando esperança, ignorando a barbárie.

www.gruposummus.com.br